ミャンマー行脚

熊澤文夫

批評社

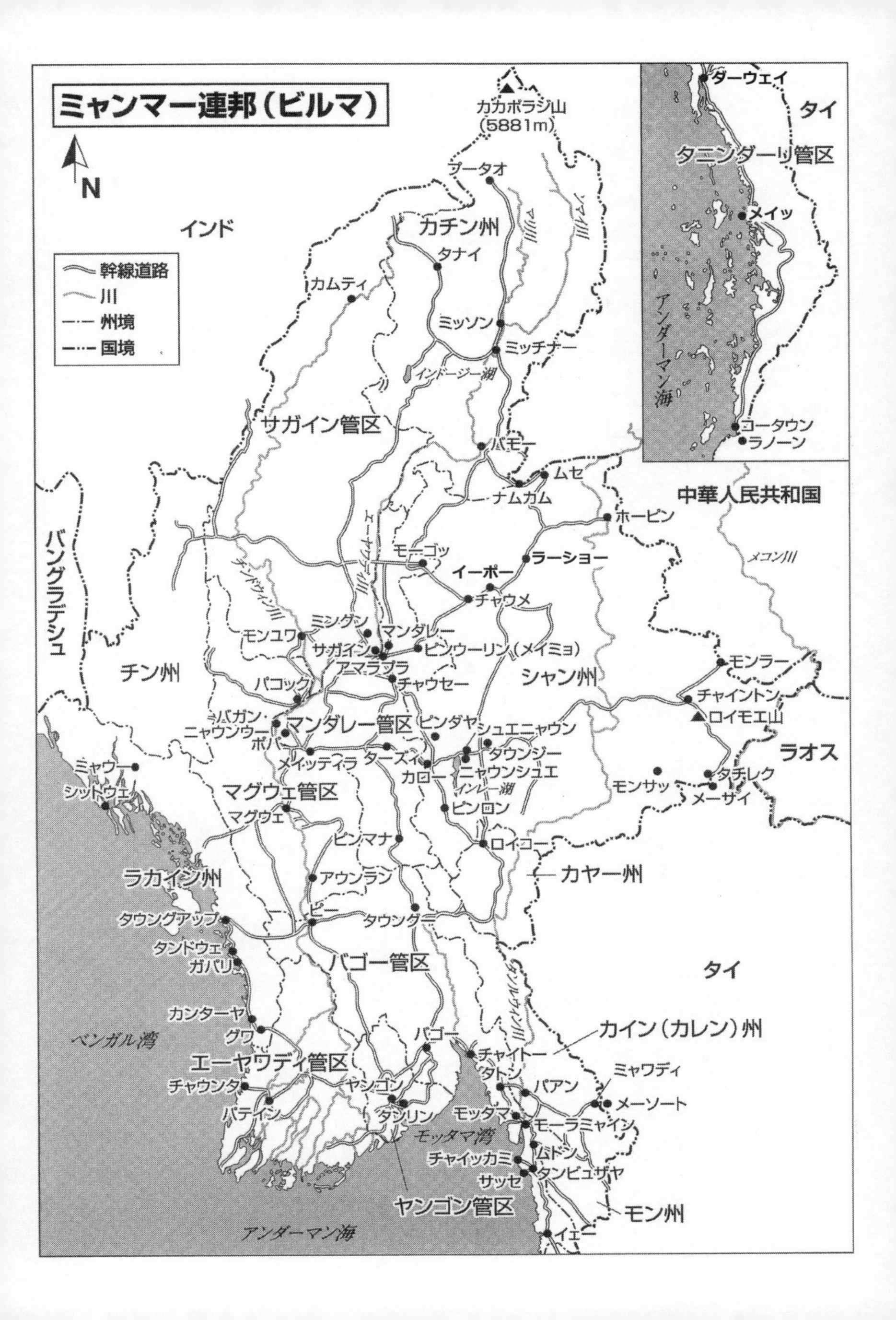
ミャンマー連邦（ビルマ）
N
幹線道路
川
州境
国境
インド
カカボラジ山
（5881m）
プータオ
カチン州
タナイ
カムティ
マリ川
ンマイ川
ミッソン
ミッチナー
インドージー湖
サガイン管区
バモー
ムセ
ナムカム
ホーピン
中華人民共和国
バングラデシュ
チンドウィン川
エーヤワディ川
モーゴッ
ラーショー
イーポー
チャウメ
ミングン
マンダレー
モンユワ
サガイン
ピンウーリン（メイミョ）
アマラプラ
チャウセー
チン州
シャン州
パコック
バガン・ニャウンウー
マンダレー管区
ポパ
ピンダヤ
シュエニャウン
タウンジー
ニャウンシュエ
インレー湖
メイッティラ
ターズィ
カロー
ミャウー
シットウェ
マグウェ管区
マグウェ
ピンロン
ロイコー
ピンマナ
アウンラン
ラカイン州
カヤー州
ピー
タウングー
タウングアップ
タンドウェ
ガパリ
バゴー管区
タイ
サルウィン川
カンターヤ
グワ
ベンガル湾
バゴー
チャイトー
カイン（カレン）州
エーヤワディ管区
チャウンタ
パテイン
ヤンゴン
タンリン
タトン
パアン
ミャワディ
メーソート
モッタマ
モーラミャイン
モッタマ湾
ムドン
チャイッカミ
タンビュザヤ
サッセ
ヤンゴン管区
モン州
アンダーマン海
イェー
モンラー
チャイントン
ロイモエ山
ラオス
モンサッ
タチレク
メーサイ
メコン川
ダーウェイ
タイ
タニンダーリ管区
メイッ
アンダーマン海
コータウン
ラノーン

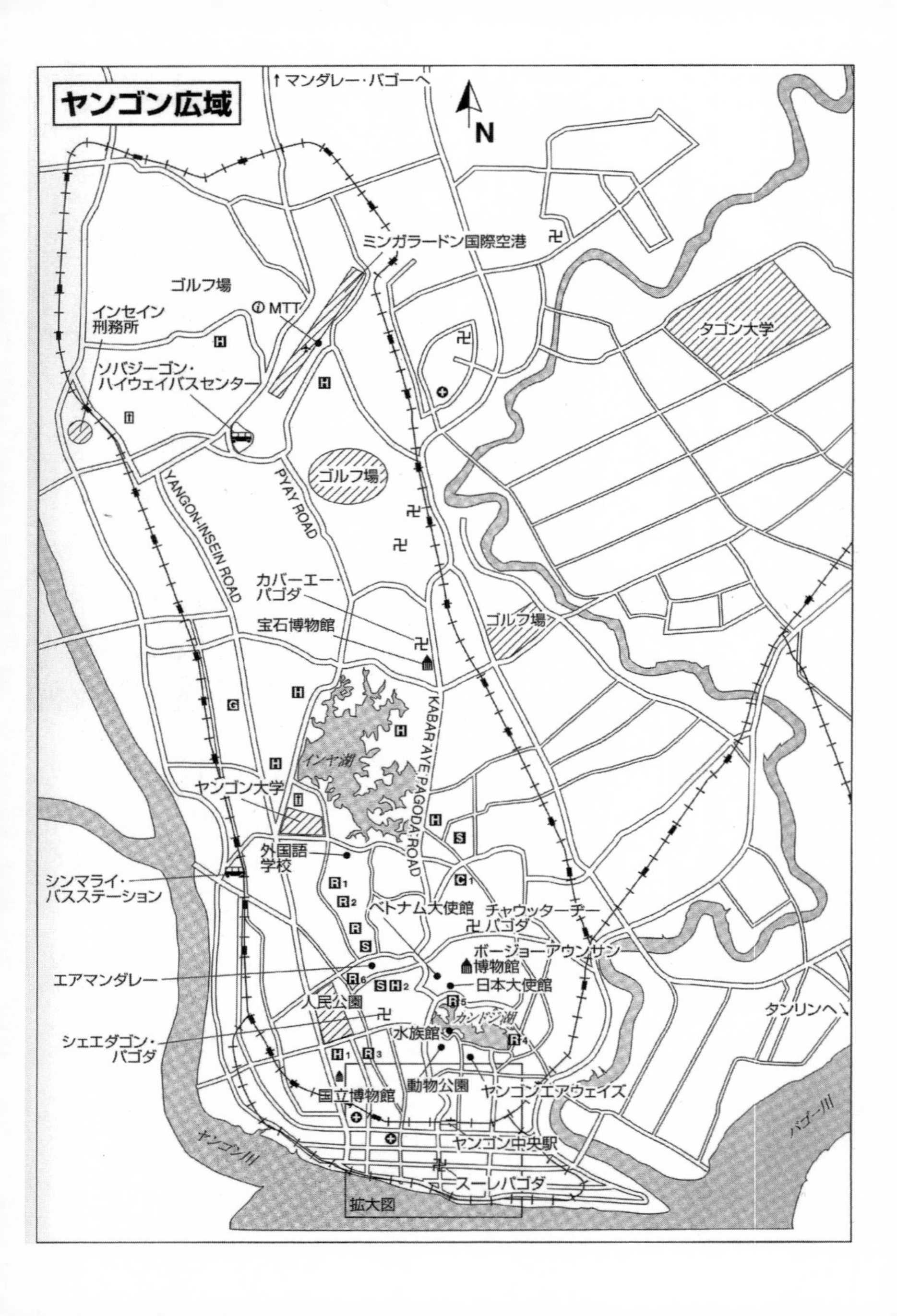

ヤンゴン広域
↑マンダレー・バゴーへ
N
ミンガラードン国際空港
ゴルフ場
MTT
インセイン
刑務所
ソバジーゴン・
ハイウェイバスセンター
タゴン大学
ゴルフ場
YANGON-INSEIN ROAD
PYAY ROAD
カバーエー・
パゴダ
宝石博物館
ゴルフ場
KABAR AYE PAGODA ROAD
インヤ湖
ヤンゴン大学
外国語
学校
シンマライ・
バスステーション
ベトナム大使館
チャウッタージー
パゴダ
ボージョーアウンサン
博物館
エアマンダレー
日本大使館
人民公園
カンドジ湖
タンリンへ
シェエダゴン・
パゴダ
水族館
動物公園
ヤンゴンエアウェイズ
国立博物館
ヤンゴン中央駅
スーレパゴダ
ヤンゴン川
バゴー川
拡大図

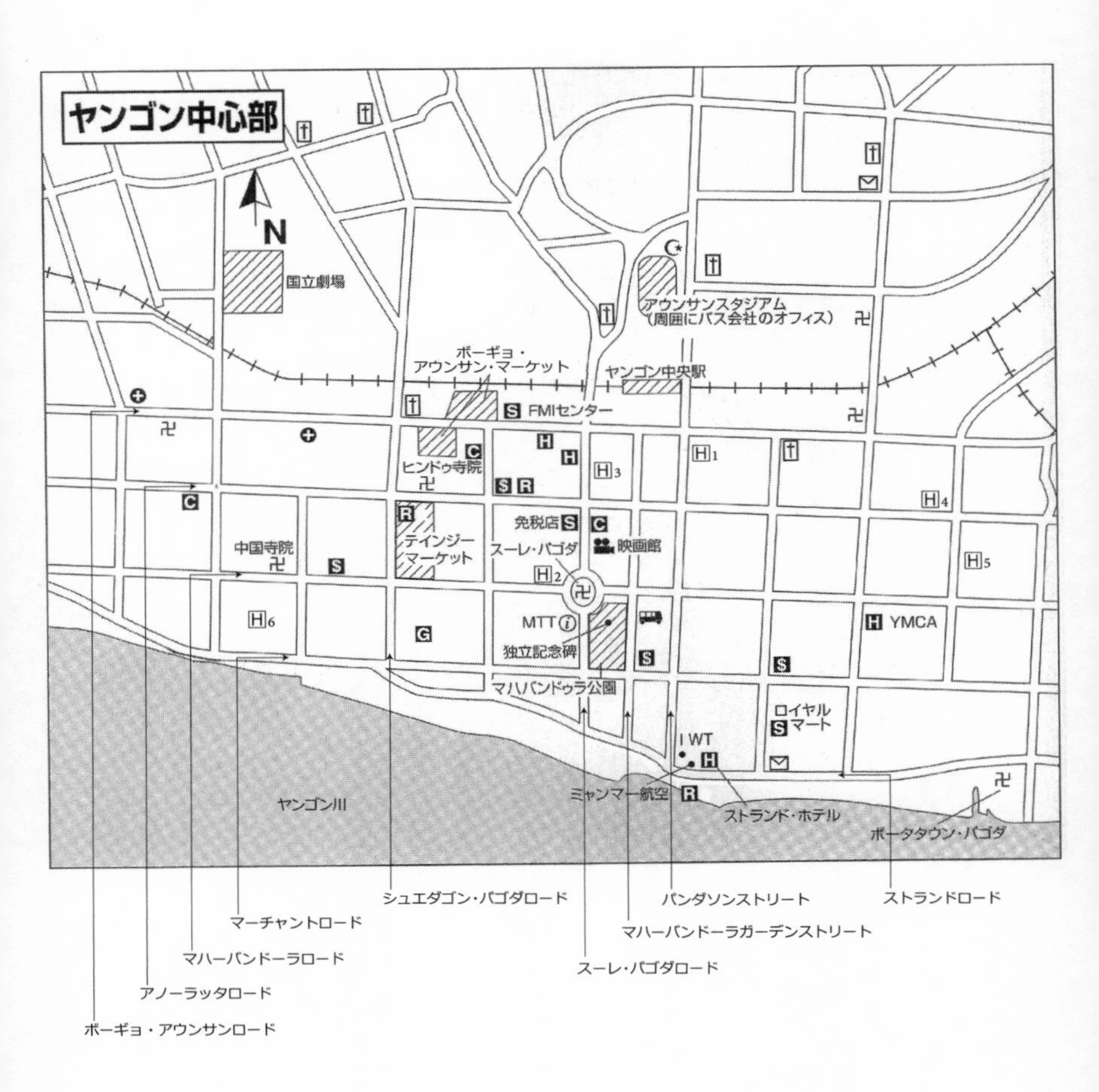

H1 Panorama Hotel
H2 City Star Hotel
H3 Beautyland Hotel Ⅱ
H4 Queen's Park Hotel
H5 Eastern Hotel
H6 Sky Hotel

遠い昔青春を共にした
三宅貴夫君
高橋恩君
佐藤義和君
の霊にささやかながら
この書を捧げる

ミャンマー行脚*目次

I　ミャンマーの国家・民族・宗教　13

Ⅱ　ミャンマー現代文学に寄せて　83

Ⅲ　ミャンマーの鉄道昨今　143

Ⅳ　ヤンゴン五景　188

Ⅰ　ミャンマーの国家・民族・宗教

はじめに

ミャンマーという国に少しでも関心を抱きながら、この国を訪れる人々、それが日本人であれ、他の国の人であれ、多くの人々にとって自分がこれまで思い描いてきたこの国のイメージが、体験を重ね、この国の現実を知れば知るほど、様々の点でズレを感じ、齟齬をきたし、改めてこれまでの認識を新たにしなければならないと実感するのではなかろうか。

それならばどうするのがよいのか。

それなら自らの足で歩いて実際のミャンマーを見つめ、この国の人々と接して目で、耳で現実を確かめる方法以外に手はないのである。

そうした思いで、ここしばらくわたしはミャンマー行脚つ

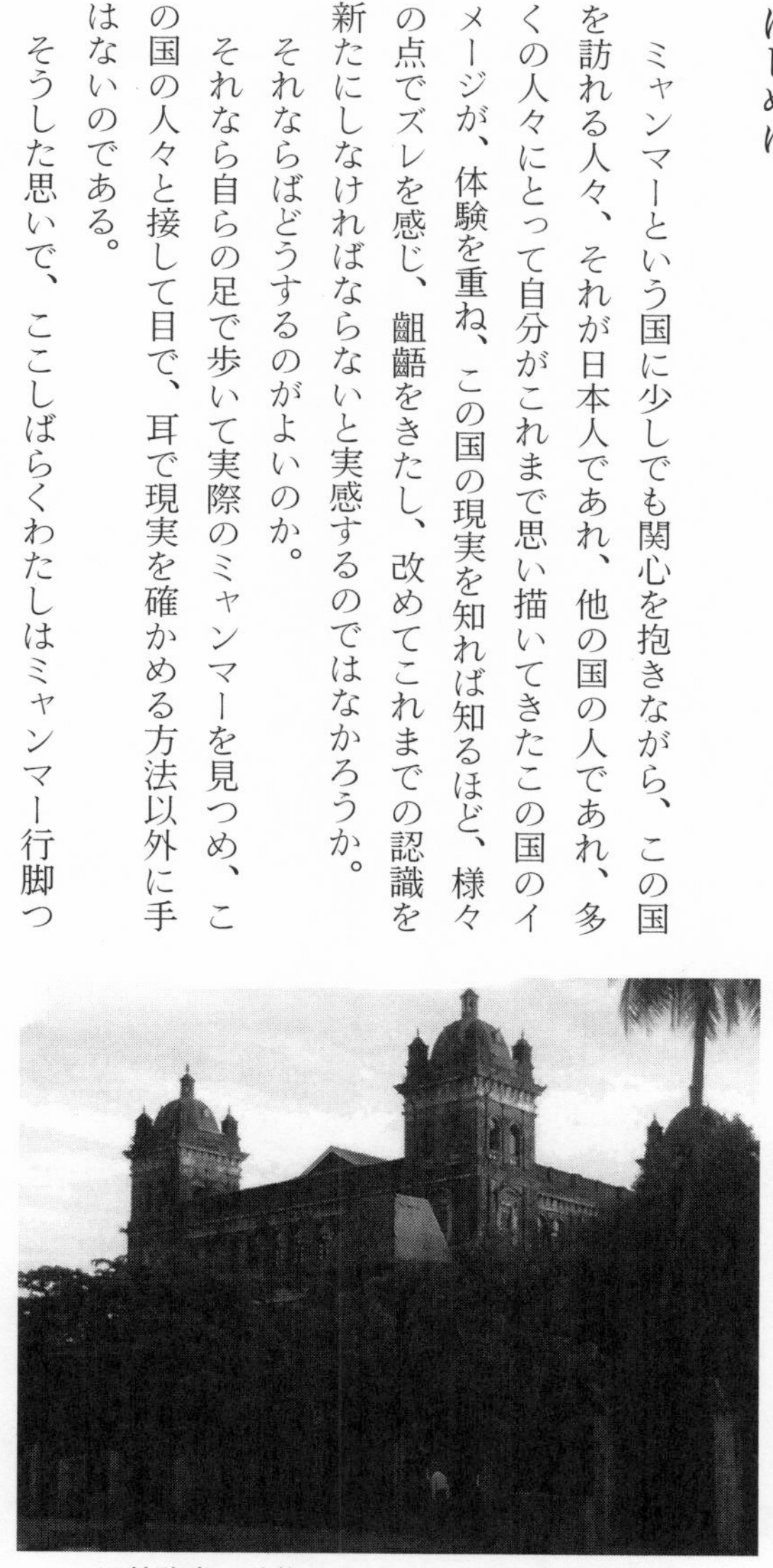

旧外務省の建物、アウンサン将軍暗殺の現場

まり足を使って訪ね歩いたこの国の町や村々で、この目で見、この耳で確かめ、この肌で感じたことを下地に、ミャンマーという国がどのような姿・形をしているのか自ら思考を巡らせてきたのである。

宗教統計というものの危うさ

そんな訳なので、初めてヤンゴンを訪れた時の体験から話を始めてみたいと思うのだ。

それは二〇一一年七月（これより一五年ほど前、わたしがメーサイに住んでいた頃、シャン州の古都チェントンへ一週間ばかりひとり旅を試みたことがあったが、種々の制約が足枷になって、全く不自由な旅を余儀なくされた体験がわたしの足をミャンマーという国から遠ざけさせていた）、当時暮らしていたバンコクから一時間ちょっとのフライトでもうヤンゴンの地を踏むことができるほどの手軽な旅から始まった。

早速、ミャンマーの通貨チャッ*を求めて、「アウンサン将軍市場」に行った。この頃はまだ二重レート時代だったので、旅行者は誰一人銀行で両替をする人なぞいるはずもなく、すべからく個人の闇両替屋を当てにしていた（この二重の差額があまりにも大きかったので、わたしも一〇年使用のパスポートを、しかも四〇ページの増刷を付けて一〇〇円ちょっとで発行して貰ったことはすでに別のところで書いたことがある）。

ところで、その最も旅行客で賑わうアウンサン将軍市場には、何人いるか知ることもできないくらい多くの闇両替屋がひしめいていて、外国人とあらば自ら定めたレートで競争して追ってくるので、客の方はレートの一番良い両替屋を選んでチャッに替えるのである。

わたしは日本語の達者な若いインド系の男が声をかけてきて、一番レートの良い両替屋に連れて行くというので、ゴミゴミとして曲がりくねった迷路を彼の後へとついて行ったのである。

両替後、達者な日本語につられて彼の話が聞きたくなり、茶を飲みながら彼の身の上に耳を傾けた。恐らく東パキスタンからバングラデッシュが独立した混乱期、両親が逃れてきて、ヤンゴンに住み着いたらしい。そのため、彼はヤンゴン生まれだが、IDカードつまり国籍がないと言う。当然のこと、小学校にも通うことができず、ビルマ語の読み書きができないので、定職に就くこともできずに、最下層の貧民としてその日暮らしに明け暮れしているのだとも語った。彼はまたヤンゴンを初め、この国には自分のようなバングラデッシュを出自とする無国籍の人々が多くいるが、ミャンマー国民ではないため、この国の人口には数えられてはいないと訴えた。そして最後に、それらの人々は皆イスラム教徒なのでミャンマー人の三五%はイスラム教徒であると断言した。

その一言がわたしにとっては目からうろこであった。これがわたしのミャンマーについてのイメージを崩した最初の出会いである。無論わたしは三五%という数字を信ずる者ではないが、「敬虔な仏教徒が九〇%の国ミャンマー」といったマスメディアの報道やガイドブック的説明がたちまちその意味を失ってきたのは確かである。一体この人たちは何を根拠に九〇%という数字を確信するのか。自

---

*ミャンマー語の文字表記では「キャッ」であるが、ミャンマー人は音声として「キャッ」と発音できないため、「チャッ」と発音する。さらに外国人にとってそれは聞き取りにくいので、「チャット」と発音するようになった。尚、英語表記は「Kyat」にしてある。従ってこれ以降のミャンマー語のカタカナ表記もこれに倣うことにする。因みに、タイ語の場合、末子音はあるが、それは口内で発音されるだけで、ほとんど音として聞こえてこない。それでは外国人には不便なので、やはりミャンマー語同様、英語表記ではtやkが添えてあるので、日本人はほとんど音を出して発音してしまう。

らが調査・統計をしたなら話は別だが、大方はミャンマー政府の発表した公式統計あたりがその出所に違いない。そしてその兄弟引き、孫引きがその後に続いているのが相場だろう。

ところで、この国の政府が自国の人口動態調査を実施して、六五〇〇万人の数字を五五〇〇万人に大幅修正をしたのはごくごく最近の話である。加えて、連邦共和国を構成するビルマ族以外の主要な他民族（マスメディアやガイドブックはこぞって少数民族と呼んでいるが、シャン族を初めとして一国を形成してもおかしくはない数百万人の人口を擁する民族もあり、決して少数民族と呼ぶに相応しいものではない）が永年自治や独立を求めて反政府闘争を展開している際中、彼らが容易に人口調査に協力するとは誰も考えないであろう。さらに言えば、そもそもこの国の政府が信頼できる客観的で正確な統計調査を実施する能力があるのかどうかさえ疑わしい。そんな事情から出てくる数字を鵜呑みにしてあたかも正確な数字であるかのごとく発表するのはいかがなものであろうか。

とは言え、もちろんわたしは九〇％の数字にこだわっている訳ではない。旅先でたまたま目にした「MMAGCAL MYANMAR - FEBRUARY 2014（P.5）」という雑誌によれば、ミャンマーの宗教パーセンテージは、テラワーダ仏教八五％、キリスト教一〇％、イスラム教＋ヒンズー教四％、アニミズム一％とあったが、これとて八五％が信頼のおける数字であるかどうかは定かではない。九〇％と大同小異ではなかろうか。先に述べた無国籍のイスラム教徒やロヒンギャ族一〇〇万人のイスラム教徒が果たしてこの数の中に含まれているのかどうか。

要するに、わたしが言いたかったことは、あいまいな数字がひとり歩きをして、多くの人々がそれを事実として信じてしまうことの恐ろしさであり、この数字を根拠に何かを論ずる危うさである。例えてみれば、すでにわたしが「ミャンマー現代文学に寄せて」（Ⅱ章参照）の中で書いたように、現在のミャンマー人の意識の基底にアニミズムの精神性が深く宿り、その上層に外来の宗教や思想・イデオロギーが上乗りしていることは、個々のミャンマー人の心の中を覗いてみればよく理解できることである。こうした現況の前には、一歩譲ってその数字が仮に正しかったとしても、アニミズム一％という数字はたちまちのうちにその影を薄くしてしまうのである。

メーサームレップへの旅――民族への接触

さて次に、わたしは、ミャンマーの民族問題に初めて触れた体験を記してみたい。

すでに二七年前にさかのぼるが、チェンマイから二〇〇㎞離れたメーサリアンへ、さらにそこから交渉して小型トラックに乗せてもらい、五〇数㎞南西にあるビルマ国境の村メーサームレップへ刺激に富んだ小さな旅をしたことがある。

これは今思い出しながら文章化するより、当時の日記を頼りにそのままここに転載した方が、はるかに情況を把握できると思われるので、以下二日間にわたるページを示したいと思う。

一九九二年四月二日（木）

余りよく眠れず、五時三〇分に目が覚めた。それから四五分までウトウト。起きてみると気管が多少いがらっぽいが、この分だと何とかメーサームレップへ発つことはできそうだ。急いで支度をして待っていると電話が鳴った。外に出てみるとすでに車は止まっている。宿の女主人も出ている。すぐ車に乗る。「悪路二時間」、わたしがメーサームレップへ行くと言ったら、この町の誰もが（チェンラーイのホテルの運転手まで）わたしに開口一番言った言葉である。

乗客はわたしを含め五人。わたしの前の座席に母親を真ん中に左側に一五、六の娘、右側には七、八歳の娘の一家族、わたしの後ろの座席にはひょろっと背の高い中年にさしかかった男、以上である。わたしの前にちょこんと座り、髪をしっかりピンと輪ゴムで止めた女の子は、買ってもらったばかりなのであろう、真新しい麦藁帽子を手にしっかり握りしめている。

六時三〇分。いざ出発！　風がひんやり冷たい。わたしの宿の暑さとは全く正反対なのが信じられぬ思いである。前の母親と上の娘はしっかり薄手のジャンパーを羽織っている。やはり少なくとも長袖を着るべきだったと後悔。

車は猛烈な勢いで走ってゆく。それでもまだ舗装道路なので快適。二〇分ほどするとその舗装道路も切れてでこぼこ道となる。少し暖かい空気を感じたので、前景に展開する山脈（多分ビルマ領）を見ると、今しもその山の頂に、卵の黄身のような日の出の太陽が乗っかっていた。たったそれだけでももう温度が違うのだから、その日差しの強さに驚く。七時を少し回っていた。車はでこぼこ道でもスピードをあまり緩めないので、しっかり掴まっていないと体が浮き上がってしまいそうになる。やがて山間に入ってゆく。乾季でからからに乾いた土が車の勢いに負けて、後ろに舞い上がり、後方の視界は完全に遮られてしまう。突然、車から鋭いクラクションが鳴ったかと思うと、牛の群れが道の脇へ移動しているのが目に入ってきた。朝の草食みに連れて行くところなのであろう。よく見ると、追い出している男はタイ人ではない。恐らくビルマの少数民族だ。この先たびたび牛追いに出会ったが、この山中で暮らしているのであろう。点々と部落があった。中には少年ひとりだけという群れもある。運ちゃんは牛がのろのろしているのにいら立ち、クラクションを連続で鳴らし続け、止まらないまま車を群れの中に突っ込もうとするので、牛追いが「アー」と大きな声をあげて運ちゃんに抗議（反抗）の意志表示をしたりするひとこまもあった。あるときは、バックミラーが一頭の牛の腰をかすめたので、こちらの方がハラハラしてしまった。なるほど悪路である。この先、行く先々カーブの連続で、左側の崖は落砂、落石の危険があり、右側はもちろんガードレールなどあろうはずもなく、一寸運転を誤れば、そのまま谷底までアッという間に転がり落ちてしまうであろう。土に水分が全くないので、危険はさらに大。一日一往復する運ちゃんの腕を信ずるしかないが、日本ならさしずめ通行禁止の道であることだけは確かであろう。しかし、これがタイの良いところなのである。わずか五〇バーツでスリルに満ちた二時間の旅ができるのだ。

すっかり日が昇り、気温が急速に上がり始めているが、しかし暑いと感じるほどではない。たくさんの牛の群れに走行を妨げられはしても、対向車に出会ったのはこの後たったの一台きりであった。

やがて峠をひとつ越えると、山間に小さな部落が見えてきた。やはりビルマの山岳民族と思われるが、道からよく見えるところにタイ文字の表記があり、ここはタイ領内であることが強調されている感じだ。仔豚が一匹ちょこまかと車の近くによって来る。少女の姿もある。わたしの後ろの座席の男は途中で降り（したがってこの男はビルマ人かもしれない）、新しく山岳民族の若者が二人乗り込んできた。言葉は全く解らない。車は小さな渓流と並行して走ってゆくが、そのうち何度もこの川がゆく先を塞いでいる。車は構わずこの流れの中を、タイヤを水浸しにしながら走り続けてゆく。橋などは一つもないので、くねりながら流れる川をその都度水しぶきをあげて突っ切ってゆく。いやはや大変な道である。さらに行くと、ついに道と川が合流し、車は川の流れの中をそのまま流れの方向へ走ってゆく。川はあるが道がない。川が道になり、道が川になる。目下は乾季で水量が少ないので走行可能だが、恐らく、雨季にはこの旅は激しい増水に遭い不可能になってしまうであろうと思われた。

そうこうしているうちに、前方に家が二、三軒見えたかと思うと、やがて店屋があったり、お寺があったり、ここはかなり大きな部落だなと見ていると、車が停まり、乗っていた若者二人とさらに途中で乗り込んできた十歳ぐらいの少年も降り、それから母娘親子も降りてしまったので、メーサームレップへ着いたのだと直感した。

車はわたしだけを乗せしばらくサルウィン川の川原を走り、そして停まった。八時一五分。その前の一軒の店屋で朝の商売を取り仕切っている恰幅のよい男に、運ちゃんがわたしを紹介し、できれば二日間泊めてやってくれないかと交渉してくれた。その男はこころよく承諾してくれたようだ。運ちゃんは、それではと言って車を走らせて行ってしまった。男が荷物を置いて待っていろと言うので、その通りにしていると、いつまでたっても声をかけてこない。仕方がないので彼の商売（それは大量の氷を売っているのであるが）を眺めて時をすごした。

朝のその商売が一段落し、その男がいつの間にかいなくなったと思っているところに、ひとりの青年、背は高くはないが体のがっちりした、まるでレスラーか相撲取りをそのまま小型にしたような男がわたしのところにやってきた。実際わたしの三倍はゆうに超えていた彼の腕の太さが、何よりわたしの第一印象になるほど逞しい体つきをしている。その彼が以外にも早口の英語で話しかけてきたので、ちょっと戸惑ったほどだ。彼は英語で「タイ語はしゃべれるか」と質問してきたので、「ニットゥノーイ（少し）」とタイ語で答えると、それには答えず、また何かしゃべったかと思うと、朝食がまだなら食べる所へ案内するから一緒に行こうと言った。

この男が何者かもさっぱり分からず（現に彼は自分がどのような人間かは一切説明しなかった）、かといってくどくど尋ねる雰囲気ではなかったので、とりあえずその食堂へ従いてゆくことにした。そこはメーサームレップの象徴でもある商店の立ち並ぶその中の一つの建物（とはいえ、屋根を草で葺いただけのいたって貧相な店である）であった。そうした同じような建物の切れた所にサルウィン川の舟着き場（Jetty）があった。

わたしは何でもよかったのでクィティオ（タイ式のうどん）を注文し、ただ黙々と食べていた。とにかくこの男がなにがしかの形でわたしを世話してくれるのだけは確かなようなので、彼に任せるしかない。それでも彼が一体何人かぐらいは知りたいと思い、訊いてみると、「カウチン」という発音が返ってきたので、タイ語で「コンチーン」は中国人を意味するからそうかと思い、ここには中国人（雲南人、サルウィン川上流は中国南部）もいると物の本にもあったので、中国人なら英語が話せてもおかしくないと思ったりした。彼は三時にまたこの食堂に来て夕食を食べようと言った。それから、その商店群を見物し、サルウィン川の舟着き場へ行った。ここらの商店の品物に期待するものがあり、それがここへやって来たわたしの目的のひとつであったが、そこで見る物はビルマ側の品々とはいえ、珍しい物、めぼしい物はほとんどなかった。とにかく期待が外れ、わたしはがっかりした。青年はビルマ側の左手にある遠い山脈（やまなみ）を指し、三年前あの山でカレン族とビルマ政府軍とが激しく戦闘を演じ、カレンの人が何人も死んだこと、しかしメーサームレップはカレン民族解放軍に守られ、今では全く安全であること、それからここの商品はほとんど全てビルマ側から持ち込まれてきていること、したがって商店主もほとんどビルマ側の人々であることなど、わたしに語った。

見ていると、重たい荷物を担いだビルマ人がそれらの荷を舟に載せている。タイ米ではないか。そうこうしていると、今朝わたしと一緒に車に乗って来た母娘三人がやって来て、今しも舟に乗ろうとしているのが目に留まった。彼らはやはりタイ人ではなかったのだ。舟はこの親子を乗せて、やがてサルウィン川の上流へと消えていった。わたしの予想は外れてしまった。このメーサームレップはビルマとタイの接点であり、ここでは両方の人間たちがそれぞれの国の物品を商い、ひとつの密貿易の中心だと思っていたのである。しかしそうではなかった。この商店はほとんどビルマ人のもので、タイ人の店はわたしの知る限り一軒しかなかった。言葉は恐らくカレン語が主流であろう。とにかくタイ語はあまり通じない。

青年があまり暑くならないうちに家に行こうと言い、家には昼ご飯が無いので、ここで菓子を買っていった方がよいと言うので、わたしは乾パンのようなものを買い、タイ人の店に行きタピオカでできているお菓子を買い求めた。それからもう一軒ムスリム（インド系ビルマ人）の店でバナナを三本買った。通貨はほとんどタイバーツなのに不思議なものを感じた。ちなみにバナナ三本、二バーツ。

青年は帰りがけカレン族の衣料品店に寄りシャツを一枚買った。しばらく歩き青年の家に着いてみると、その家はわれわれがメーサームレップに到着した時、車を川原に入れた急坂のとば口にあった。どの家もほとんど同じような造りで、変わり映えのしないものだったが、青年の家は周囲の家に比較してやや大きな感じがした。

中に入ると、肥えた婦人が青年にわたしが誰なのか訊いている様子である。それは青年の母親であった。わたしは挨拶しても言葉が通じないと思い黙っていたが、母親は英語でわたしに話しかけてきた。簡素な応接セットにわたしを座らせ、色々話をしたが、部屋の隅の方の安楽椅子に寛いでいた男を、あれはわたしの主人だが、彼は三年間English armyにいたので英語もでき、またその後日本にも行ったことがあるのでちょっと日本語も知っているのだ、と言ったことが印象に残った。最後にどうか寛いで下さいと言った。

結局、青年の部屋をわたしに提供するということになり、彼はその部屋を片付けてきて、わたしを案内した。部屋といっても粗雑な板で周囲を囲ってあるだけで、手作りのベッドが部屋のほとんどを占領し、その他小さなこれも手製の椅子がひとつあるだけのいたって狭い簡素なものだ。入口に戸は無く、そのままサルウィン川が望まれる。

青年は飲み水をその小さな椅子の上に置きながら、一年前この家の前のサルウィン川にビルマの政府軍がカレン族を追って来て爆弾を落としたことなどを話した。彼がシャツを着替えるため上半身裸になった時、その背中を見てわたしはびっくりした。右の背中の上半分全てにグサリと深く抉られたような相当の傷痕を残していたのである。わたしは一瞬、それは病気の跡ではなしに戦闘で負った傷ではないかと思った。しかしわたしはこのことを最後まで訊くことはしなかった。青年はカレン族とカチン族が同盟してビルマ政府軍と闘っていること、そして自分の父はカチン族、母はカレン族だと言った。ここでわたしの理解が間違っていたことがはっきりした。青年は「カゥチン」と発音したようにわたしには聞こえたが、それは「カチン」だったのだ。彼はもちろん父親のカチン族を引き継いでいたのである。

この村にはタイ人は住んでいないのかとわたしが訊くと、ほとんどいないと言う。カレン、カチン、ラフー、シャンの四族が主であとはインド（バングラデッシュ系）のムスリムが少し、タイの家族に至っては三家族しか存在しないと言った。それで当初ここに着いた時感じた違和感が初めて納得できたように思われた。わたしは異質な土地へ来てしまった自分を悟った。つまりタイ社会の空気に馴染んできたわたしには、この村の雰囲気がまるでそれとは異なるので、戸惑わずにはいられなかったのだ。ここは明確にわたしの予想に反しビルマなのだった。多分、ここの共通語はビルマ語ではなく、ましてタイ語でもない、それはカレン語であろう。そうとすればビルマであり、タイであると同時に、またビルマでも、タイでもない世界であった。

わたしは朝早く起きたので睡眠不足であり、少しベッドに横になった。青年はその間にまた仕事に出かけて行ったようだった。わたしは無論彼がどんな仕事をしているのか知る由もなかった。あまり眠れぬまま時をすごし、購入した乾パン様の菓子一枚とバナナ一本を食べた。いずれも旨いものではない。バナナはタイのものと違いやたら大きく、これははっきり品種の異なるものだと思われた。残りの相当量をこの家の娘（つまり青年の姉）が子守をしていたので彼女に提供した。彼女は躊躇して受けとるのをためらったかのようだったが、その時突然「ありがとう！」という日本語が響き、彼女は受け取った。それは安楽椅子に横たわっていたこの家の主人の声だった。わたしはその声の方を見やり、その顔を見るなり瞬間ギクリとした。老人の左目がなかったのだ。眼球が摘出されてしまったのだろう、それは深く窪んで、小さな洞を作っていた。

　それからまたわたしは、今度はひとりで例の商店群を見物に出かけた。わたしはすでにこの時青年に何かしら違和を感じていた。それが何かよく分からず、そのことがずいぶんわたしの心を領し続けていた。彼は自分の仕事を犠牲にしてわたしに付き合ってくれている。色々親切にしてもらっているにもかかわらず、わたしはどうしても彼に好意を感ずることができなかった。彼といることに一種の煩わしさを感ぜざるをえなかった。わたし

青年（左）と若者（右）

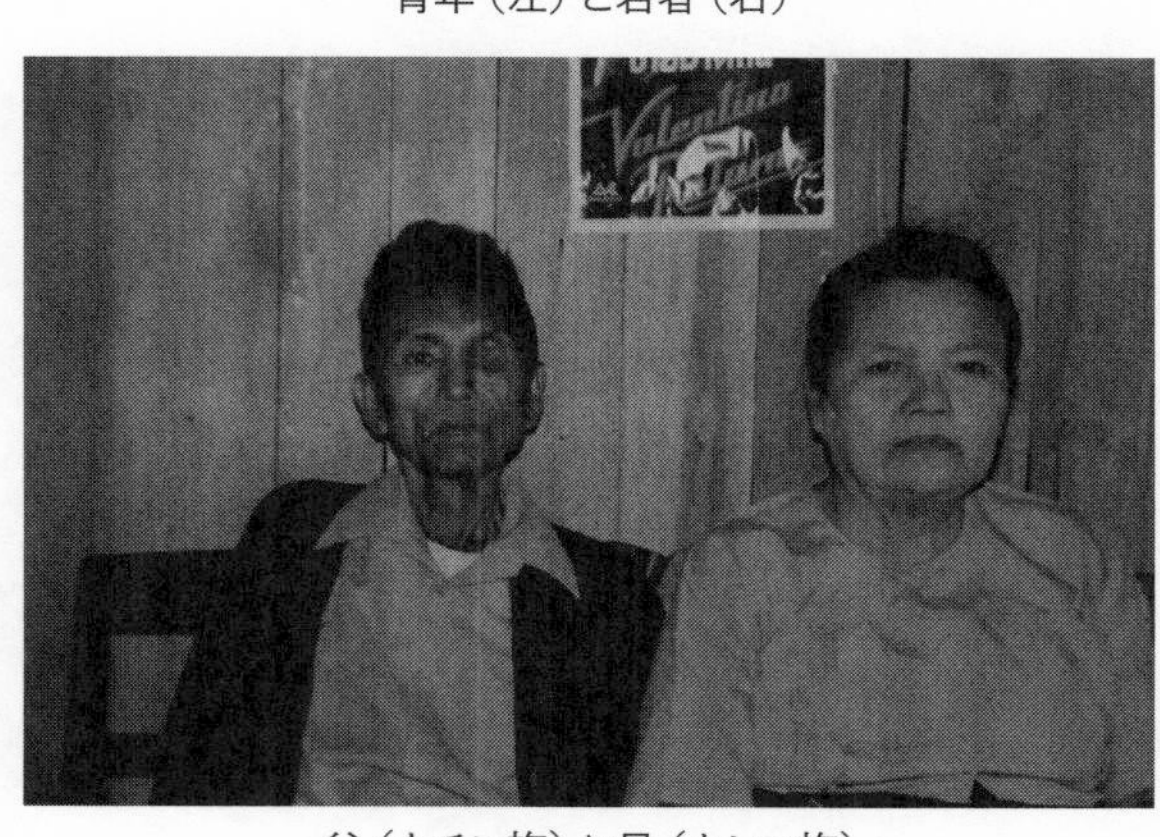

父（カチン族）と母（カレン族）

は少なくともこの店々を種々覗き、ひやかして歩いてみたかったのだが、彼が一緒にいると、何かそんなことをするのが悪いことのように思われた。

商店群を一巡して、タイ人の店でタピオカを食べていると、外からわたしを見つめている男に気付いた。青年だった。彼はわたしに何か言い残してそのまま去った。わたしは彼と一緒になるつもりはなかったので、その店に座ったままでいた。しばらくしてトイレに行く。青年の家のトイレがどのような様式のものか分からなかったので、タイ式であれば何とかなると考え、この店のトイレを借りたのだ。なるほどタイ式ではあったが、囲いは竹を突っ立てただけで外から覗こうとすればいくらでも内部が見えてしまうものだったし、ナーム（水）はサルウィン川の水を大きな甕の中に貯めてあるもので、上層からすでに泥濁りの状態だった。おまけに痔が悪く大出血をしてしまい、この汚い水で肛門を洗うのは相当抵抗があったが仕方ない、それを使った。

それからまた青年と会い、夕食を食べに行く。朝とは別の所がよいと言うので彼に任せたが、一番奥の舟着き場に近い一軒に入って食べた。青年は食べずわたしだけが食べた。ご飯（こんなにまずい米はタイへ来て初めて）と何やら豚肉の煮たものが少しだけ、あとはニガウリの生を味噌のようなものに付けて食べた。この食事代は全部で一五バーツだったが、メーサリアンのおいしくない夕食に輪をかけて、安かろうまずかろうではこれまでの記録を更新するものだった。

それから二人で家に帰ると、ひとりの体格のよい若者がいた。青年が弟だと言って紹介した。彼がタイ語の雑誌を読んでいたので、タイ語が読めるのかと訊いてみると、「読める」との返事。そして高校生活をチェンマイで送ったのでタイ語は会話はもとより、読み書きもオーケーと答えた。ビルマのカチン族の若者がタイの高校に行けること自体不思議だったが、ともあれタイ語のできる人間がいたことで何か救われたように思った。われわれ二人はタイ語で会話を交わし多く雑談をした。チェンマイの話、サルウィン川がいかに危険な川かという話、タイの女の話、日本料理の話、そのあと彼は三、四年たったら日本に行くのだと言った。わたしはこの若者が青年とは全く雰囲気の違うのを知り、かつまた彼の自由な、屈託のないしゃべり方に好感を持った。要するに、彼はチェンマイのあの自由を体全体に身に付けていた。同じカチン族の兄弟でもこうも違うものかとさえ思われた。

その後若者は仕事に出かけ、青年はわたしを誘って再び商店群に行こうと言った。夕方で涼しくなったので散歩がてらということらしい。とはいえすでに三回ほど見て回ってしまっている。もう見るべきものは残念ながら何もないように思えた。それでも散歩は悪くはないのでわたしたちは出て行った。思っていた通り人々の夕方の繁忙がそこにはあるだけで、わたしのような異邦人がいようがいまいが、お構いなく住民の生活が繰り返されているにすぎない。

青年はまた少し仕事をしていた。あなたの仕事は何かというわたしの質問に、この店の中のことあれやこれやだと言っていたが、本当は何でもやっている様子である。若者の方は夕食の準備をしていた。彼らは二人ともクリスチャンであり、夕食の前カチン語でお祈りをし、最後に「アーメン」と言ってめしを食べ始めた。二人ともわたしの三倍は食べたので、そのエネルギッシュな食欲に感嘆していると、弟が一緒に食べようと言ってくれた。わたしはすでに夕食を済ませていたので、そのお数をひと口ずつ試食した。カチンの料理はいく分やはり辛かった。二人はカチン語で会話をしていた。青年の家ではカレン語が主流であると言った。若者の方は母親とはタイ語で話をしていたが、商売の時はカレン語を使っていた。

青年にどうして英語が話せるのか訊いてみると、こちらはビルマの高校に通っていて会話も習ったらしい。兄弟が別々の国の高校に通うのがちょっとおかしいと思い、青年に若者は本当に弟なのかと念をおすと、今度はいとこだと答えた。若者にも訊いてみると、彼は自分には分からないという意外な言葉が返ってきた。一体どうなっているのであろうか。恐らくこの二人の関係はいとこよりももっと血縁の薄いものであり、その説明に窮して分からないと言ったのだとわたしは考えたが、わたしの関心は別のところにあった。それは青年がビルマの高校へ、若者がタイの高校へ行ったこと。少なくともタイの高校に行くにはタイのＩＤカードがなくては無理であろう。そのＩＤカードを持つということが即タイ国籍を獲得することになるのかどうかわたしは知らないが、彼は何かの手段でタイ化しなければ、高校へ通うのは無理だったはずである。少し後で分かったことだが、彼の実家はメーサリアンにあったのだ。だとすると、この若者の家族はタイに住んでいることになる。

わたしは青年と家に帰るなり、彼に質問してみた。あなたのナショナリティは何かと。すると青年はカチンだと答えた。わたしは国籍という意味で問うたのだが、彼はあくまでカチンだと言い張り、ビルマには百を越える言語があるので、それを持った民族そのものが彼に言わせればナショナリティになるというのである。彼の家は少なくともサルウィン川の向こうをビルマと考えればビルマではない。タイ領にあるのである。しかし彼にとってはそんなことは少しも重要な意味を持ちえなかった。彼はあくまでカチンであることだけが重要なのであろう。それから彼はボーミャという名前を言い、わたしにこの男を知っているかと訊いた。知らないと答えると、独立闘争を戦っているカレン民族同盟の最高指導者だと言った。彼はこのボーミャという人物を最も尊敬しているらしかった。この青年はことによったらこの独立闘争の兵士かもしれないとこの時わたしは思った。彼の部屋には古いギターがあるだけであとは何もなかったが、使い古した軍靴と軍帽があるのをすでに見ていたからである。あの背中の創傷はやはり戦闘の負傷のそれに違いないと、またわたしは逡巡を重ねた。

彼の部屋には電気がなかったので、彼がロウソクを持って来てくれた。もう寝ましょうと言って、彼はギターを持ちだし出て行ったので、わたしも広間の方へ一緒に行った。まだ七時であった。彼はギターを弾きながらしきりに歌を口ずさんでいた。それはあるいはカチンの歌であったかもしれない。夕方、この家の子供たちが歌っていた歌は恐らくカレン族の歌であろう。それは日本の童謡にも似て閑寂な響きをもってわたしには聞こえてきた。

そこへ老人が現れ、咳に効く薬を持っていればくれないかと言った。残念ながら持ってはいなかったので、持っていないと言うしかなかった。青年に訊くと、もう二週間以上風邪をひいて咳が止まらないと言う。老人がたえず咳をしていたので喘息なのだと思っていたが、そうではなかったらしい。それより青年が、父は英語がしゃべれるから、自分に訊かず父に訊いたらよかろうというような意味のことを言ったことの方が、わたしの心に引っかかった。わたしは青年との違和感の中身はともかく、あるひとつのことに気付いていた。それは彼がわたしと会話を交わしている間、笑いがないということだった。本当に彼は微笑(ほほえ)みひとつ浮かべたことがなかった。いとこだという若者の方は全く対照的に常に笑い顔をもってわたしに接していた。この違いはいったい何なんだろうか。

ともあれ、わたしは老人を相手にしていた。彼は実直で、ユーモアもあり、すぐにこの老人が好きになってしまった。彼に色々のことを質問してみた。老人は目下六六歳で、一九四二年にイギリスの軍隊に入り、三年間日本軍と戦ったらしい。戦争が終結し、どういうわけか今度は日本人の将校にかわいがられて日本へも行ったという。その将校は佐藤と名乗っていたそうだ。時々日本語も飛び出してきたが、もう忘れかけているようであった。それから二年間インドに行き、一九四七年故郷のカチン州に戻って来たという。その後すぐこのメーサームレップにやって来たのだと語った。わたしはなぜここに来たのか、カチン州に帰りたくはないのかと尋ねた。彼はもちろん帰りたいが今はまだ戦闘中だ、平和が戻ったら必ず帰ると言った。話によれば、彼の左目はビルマ政府軍との戦いで失ったものらしい。彼は日本の政府が目下行っているビルマ政府への援助を即刻中止するよう、あなたが日本に帰ったならばぜひ伝えて欲しいと真剣な眼差しでわたしに言った。

しばらくすると、今度は母親の方がやってきて、わたしの話し相手になった。この時また気付いたのだが、この母親も息子と同じように会話に笑いがなかった。しかし母親の方は態度に凛とした気品があり、そのうえ女性としてのある優しさのようなものが備わっていて、わたしは少しも不快な感じは持たなかった。彼女はカレン族でもよい育ちをしてきたように思われた。わたしが驚いたことは、現在タイでさえ中学はおろか高校へ子供を進学させるのは相当の財力が必要なのに、タイよりはるかに経済力の低い様子が窺えるこの家で、息子を高校まで進ませていることであった。

母親が、ところであなたはマラリヤの予防注射はしてきたのかと訊くので、していないと答えると、それなら薬は持って来たのかとさらに言うので、薬も持っていないと言えば、このあたりはマラリヤが多いのだという話をしだした。わたしは今もしマラリヤに罹ったら、この旅はたちどころに中止しなければならなくなるので、これはまずいと思い、それではお休みなさいと告げて急いで蚊帳の中へ避難した。

まだ九時前だったが、もう暗闇の中では何もすることはないので寝ることにした。ところが、またもやわたしは青年の奇妙な行為が気になった。それは何かとわたしの寝床へ入って来て、何かを探しているようにしながら、懐中電灯の光を蚊帳の中に向け、わたしが確かに眠っているか確かめているようなのであった。この行動はほぼ一時間毎に繰り返され、明け方まで続いたのである。彼はわたしが何者なのか判らず、信用のできる人物とみなさなかったのであろうか。それにしても何のためにそんなに見張らずにはいられなかったのであろうか。わたしは大いにこの彼の行動に不快な思いを抱いた。かてて加えて、茣蓙（ござ）の上に敷かれた本当にせんべい布団一枚の寝床は、寝返りを打つたびに背中が痛くなり、明け方までまんじりともできなかった。夜半から気温がぐんぐん下がり、肌寒さを感じるほどになってきたので、長袖のパジャマをひっかけ、毛布を被って寝た。わたしは明日はメーサリアンに帰るのだ、帰るのだと、しきりに自分に言い聞かせていた。

四月三日（金）

早朝、いまだ明けやらぬうちに目が覚めた。やがてどこからかムスリムの祈りの声が響いてくる。さすがにここには回教寺院は立ってはいないが、それでも彼らは一日何回かの祈りは欠かすことがない。断食もきちんと行っているという。朝五時から夕方六時まではものを食べない。今日は金曜日なので断食かもしれない。眠りが足りず、結局八時すぎまで寝床を離れられなかった。起きてみると青年はすでに仕事に出かけていた。老人がコーヒーを入れてくれたが、インスタントコーヒーでこれほど旨いコーヒーをかつて飲んだことがなかった。とてつもなく大きなカップになみなみとあり、普通の三倍近くの量だった。受け皿はなんと大どんぶりであった。わたしたち二人はまた夕べと同じように話をした。老人は思い出すようにして英語の言葉をさがした。写真を撮らせて欲しいと頼むと、背筋をキッと伸ばし、かつて戦闘に臨んで行ったとおぼしき真剣な眼差しをして、私の前に立った。続いて娘とその娘、母と老人の写真を撮った。

それからわたしはトイレに行った。心配していたようなトイレではなく、ほぼタイ式と同様だったが、金隠しの下に階下の地面が覗かれるところは違っていた。ホースの先を水道の蛇口のようにして、それをひねると水が出る仕組みでお尻を洗えるようになっていた点はむしろタイ式より進んでいる。それでもわたしは大は遠慮した。痔が怖かったことにも増して、そのモノがひょっとして、この家の豚のエサになるのではないかと勘ぐったからである。当の豚は小屋などなくて、始終わたしの寝床の下を徘徊していたのである。

わたしは朝食を求めて商店群に行った。青年と若者が仕事中だったので、しばらく彼らの店で中

村のムスリムの少女

国茶を飲みながら待った。若者の父はいなかった。多分、昨夕メーサリアンに行くと言っていたので、いまだ帰って来てはいなかったのであろう。若者の母親がわたしに今日帰るのかと訊くので、「ワンニークラッパイ（今日帰る）」と答え、車のことを尋ねた。車はあるという。青年が朝食を食べに行こうと言ったので、二人でまた昨日と同じ店で同じクィティオを注文した。青年は食べずにわたしの食べ終わるのを待った。わたしはビルマ政府軍との戦いはいつまで続くと思うのか訊いてみた。青年は「Never endless」（Never endが正しいが）と答え、四〇年、五〇年続いている戦いであり、カレン族軍は武器も兵士も少ない、ビルマ政府軍の圧倒的な軍事力には勝てないだろうと言った。わたしが一九八八年のビルマ内部の民主化闘争で敗北した学生たちがあなた方の軍で軍事訓練をしているがと話を向けると、言下に学生たちはへっぴり腰で何の役にも立たないと断言して初めて笑った。その笑いはやはり皮肉な笑いであったろう。

店に戻ってみると、ひとりの運転手が今日メーサリアンへ帰るのかと訊いてきた。帰ると言うとすぐ車を出すと告げた。三〇分後ということにしてわたしは青年の家に荷物を取りに帰った。その前にわたしは青年にお礼として一〇〇バーツ渡した。二日間の宿泊代八〇バーツより多い金額だったが、もともと安いのだからそんなことはどうでもよかった。わたしは荷物をまとめ、老人にお別れの言葉を考えた。別れ際、お礼をこめて一〇〇バーツ紙幣を老人の手にねじり込んだが、彼は初め激しく拒絶した。わたしが強引に言ったのでそれを収めた。あなた方の戦いが勝利すること、それから平和と故郷に帰る日が一日も早からんことを祈っていますと、別れの挨拶を交わした。もしかりにビルマ政府軍が勝利を収めたとすれば、悲劇が起こることだけは確実なことであった。

店に帰ってみると、運転手の姿が見えないので訊いてみると、ちょっとどこかに行っているので、すぐ来るから座って待てという。そうするより外にすることもなく座って外を眺めていた。わたしは自分の名前と住所を書き、若者にもし日本に来たら訪ねて来るように言ってそれを渡した。青年と若者の写真をどうしたらよいか尋ねた。ここには住所というものがないので、郵便物はもちろん届かないからである。彼は紙切れの端に、これが自分の住所だからこちらに送ってくれればよいと言って書いてよこした。それを見るとメーサリアンの住所が記されている。ついでに青年の名前を書いてほしいとそこに書いてもらった。わたしたちはこの時までお互いの名前を明かさなかった。青年はわたしを「my friend」と呼び、若者は「Mr.」と呼んでいた。年を聞くと、青年は二八歳、若者は二一歳とのことである。

若者が見に行ってくれたりしたが、運ちゃんはどこに雲隠れしたのかなかなか現れなかった。わたしは仕方なく写真を撮ったり、店の前を観察したりして時をすごした。隣の店がカセット・レコード屋になっていたので、若者に頼んでテープを選んでもらった。青年は豚に餌をやると言ってすでに家に帰っていたが、わたしは青年に選んでもらいたいとは少しも思わなかった。カセットはもちろんビルマのものだったが、さしあたり四つと指定した。結局、ビルマ人の男の歌、女の歌を一つずつ、カレン族の闘いの歌を一つ、そしてカチン族の女性ボーカリストがビルマ語やファラン（ヨーロッパ語）で歌っているのを買った。カセットテープの世界にもこの土地の様々の事情がみごとに反映されている。

運ちゃんが来て車を出すと言うので、若者がわたしのバッグを運んでくれた。そこへ車が一台走って来たかと思うと、いきなり川に入り込んでゆく。見るとファラン（ヨーロッパ人）の若い女の子が六人乗っている。その車がわたしの乗る車の隣に駐車したので眺めていると、助手席からメーサリアンでわたしをツアーに誘いに来たあのイギリス人が降りてきた。彼がツアーを組んで客を連れてきたのだ。わたしたちは簡単に挨拶を交わした。彼は「サヌックメイ（楽しかった?）」とタイ語でわたしのメーサームレップの滞在の様子を聞いてきた。わたしはサヌックかサヌックでないか二者択一な答えならばサヌックと答えるより仕方なかったのでそう答えた。そこへ彼の運ちゃん、つまり昨日わたしをここへ連れてきた運ちゃんも出てきたので、わたしは二日の予定を一日に切り上げて今日帰ると告げて別れた。イギリス人は、「さあ、ギンカーウだ（飯を食べるゾ）」と大声で女の子たちを促し、降りる支度をしろと言っていた。

わたしたちの車は来た時同様五人（正確には乳幼児がひとりいたので六人）で、一番前のわたしの席の隣には、一二、三歳だというのにすでに両腕には立派に彫られた文身（いれずみ）をさらした少年がいた。

この旅で結局、わたしはビルマ社会の一端を垣間見たのであった。メーサリアンの宿に着くなり、わたしはアープナーム（シャワー）をし、体の埃を払った。その夜、若者の許に届けてもらいたいと件の写真を運ちゃんに托した。

ヤンゴンの政治集会

さらにわたしはここで現在のミャンマー政治のひとこま、その感動的な一場面に立ち会った話をしてみたいと思う。

それは二〇一七年三月二七日の夕方の出来事。例によってヤンゴンの町、熱暑の、ふくれ上がった空気の中を歩き回って疲れはて、くたくたになって宿泊しているホテルに戻ろうとして、マハーバンドーラ・ロードに差しかかったところで、NLD（国民民主同盟）の街頭政治集会に遭遇したのである。これまで二〇〇日あまりのミャンマー滞在で、地方の都市の街角に小さなNLDの支部の建物を見たことはあるが、NLD党員の示威運動を目撃したのはこの時が初めてである。

大通りの一角には、街宣車と自家用の車も含め小型の車が一〇台ほど集まっている。すでに集会は佳境に入っている様子で、NLDの党員とおぼしき若い女の子が孔雀のマークの入った赤いTシャツを着、赤いハチマキを締めて歌を歌い、それに唱和して他の若い男女の党員も歌い、周囲にいたやはり赤いTシャツとハチマキ姿の大勢の支持者も声を限りに歌っていた。

そのうち、街宣車の上にいた代表者の演説が始まり、スローガンを声高に叫ぶと、皆一斉に拳を空に突き上げてシュプレヒコールを繰り返した。近くを見ると道路にも歩道にもあふれんばかりの人々、それは名もなき民衆や庶民の群れで、例の赤シャツを着たおばさんたちも混じって、皆手を叩きながら歌を歌っていた。素晴らしい光景だ。わたし自身も気が付いてみると、いつの間にかその群衆の中に立っていた。

しばらくの後、また車の上のバンドに合わせてひとりの若い女性党員がNLDの赤旗を振りながら別の歌を歌いだすと、それを囲んでいた若い党員（圧倒的に女性が多い）たちも赤旗を風にそよがせて歌いだし、十重二十重に囲んでいた群衆も歌いだす。NLDの歌かもしれない。

それが終わると、この旗持ちの女の子を先頭にデモンストレーションに移ってゆく。最後の列に車が続いて一団が暑さの引いた夕方の涼風の中、ヤンゴンの街中へと消えて行った。

この政治集会にむろん党首のアウンサンスーチーは加わってはいない。すでに一年前、NLDが政権を奪い、党首として多忙を極めていたので、参加するわけはないのだが、この頃まだミャンマーの民衆（ビルマ族以外の民族の人々も）はアウンサンスーチーを十分信頼していたのである。

しかしわたしの考えは違っていた。これより数年前、臨時の国政選挙で国会議員に選出され、この国の政治を牛耳っていた軍部から、国会議員の役割としてレッパダウン銅鉱山の調査委員長に任命されて現地へ赴き、立ち退きを強いられていた現地農民の闘争を踏みにじって、軍部の意のままにさせた当の人間の唱える民主主義がいかなる民主主義なのか疑わざるを得なかったのである。

ビルマ独立国家の形成過程

わたしは宗教の問題、ナショナリズムを中心とした民族問題、そして国家（現政治体制）の問題について、わたしが身近に接した出来事を述べてみた。そんな出来事を手掛かりにして、これからミャンマーという国がどんな国なのか考えてみたいのである。

ミャンマーという国を考える場合、国家、民族、宗教の問題、このうちのどれか一つの主題が欠けてもこの国の姿を正しく捉えることはできないと思われる。要は、三次元の座標軸の中で、国家、民族、宗教という三つのヴェクトルが一点で交わる場所に焦点を据えて、ミャンマーという国を描くことこそ必須の課題となってくる。

一九四八年一月、ビルマは反植民地独立闘争に勝利して完全な主権国家樹立を果たした。当初、近代民主主義の理念の下、議会制民主主義を採用し、米ソ二大陣営のどちらに属することもなく外交は中立主義を宣言した。ひとまずいわゆる「卓上の政治、帳簿の政治」に移ったのであるが、そもそも近代的制度に対する認識は全く未熟なままであった。「反ファシスト人民自由連盟（パサパラ）」中心の国家体制は初めから不安定で、国内の他民族の民族主義的反抗、中でもカレン民族との闘争は内戦状態に至り、収拾できない事態にまで発展してしまったし、パサパラ自体も分裂してナショナリストと共産党の確執が政治的危機を招来させてしまった。

さて、ビルマが反英植民地闘争を開始してから、抗日闘争を経て、再びイギリスに対して独立を要求するに至る過程を民族主義（ナショナリズム）運動を通して考えてゆくのが最も一般的で理解を易（やす）くする方法ではなかろうか。

「ナショナリズムとは何か」というテーマで一冊の書物をものにすることができるほど定義は難儀らしいが、「ナショナリズムとは、地域、民族、国家という共同体が一体となるひとつの方向性」とわたしはひとまず考えておきたい。目下はビルマの植民地からの独立国家形成に関わる民族主義としてのナショナリズムが主要なテーマになるわけだが、他の東南アジアの国々とほぼ同様、ビルマにおいても王朝時代の民を思う王と王を慕う民といった支配・被支配構造に育まれた土着的民族主義の宗主国に対する反抗（サヤー・サンの反乱など）や王権を排除した植民地権力に向かって、王制を支えた仏教的ナショナリズムの抵抗などが初期の民族主義運動の支柱であったであろう。しかし当然のこと、これらの突発的な西欧嫌悪の感情あるいは復古主義的反抗は植民地権力に勝利するものではなかった。

ところで、帝国主義国家の植民地政策の第一は民族分断統治であるが、イギリスはその一環としてビルマ中間層の青年を懐柔し高等教育を施して、彼らを取り立て植民地政策の役職に登用し協力させた。また、植民地インドからも多くのインド人を送り、中間役人としてビルマ統治に就かせた。そして一九三七年、英領インド帝国ビルマ州を廃し、イギリスはビルマを直轄として植民地支配を強めていった。

これに反抗したのが、高等教育を受け本国イギリスを初めとする西欧近代主義を学んだ中間層ビルマ青年たちであった。イギリスの近代主義教育の持ち込みが、エリート教育を受けて育ったビルマ青年層をナショナルな反英運動に駆り立てたことは、歴史のアイロニー以外の何物でもない。

とはいえ、ビルマの民族主義運動は初期のころより一貫して仏教ナショナリズムと一体化し、植民地独立闘争という政治運動が、精神的には宗教（上座部仏教）の教義を信じて実践されるという政教一致の運動であったことは、ビルマの民族独立運動の重要な特質であった。現代の歴史的状況下で、民族問題が民族だけの問題である場合は少ない。多くの場合、それは宗教と複雑に絡み合って存在しているのである。それが独立を果たした後も依然としてそのままの形で政治を実行したことが、議会制民主主義を続けることを妨げた最大の要因である。ビルマの民族主義がナショナルな近代主義と土着的・仏教的ナショナリズムの両者を抱え込んで今に至っていることは、昨今のイスラム教徒ロヒンギャ族をビルマ人仏教ナショナリズムが激しく排除するのを見れば明らかであろう。

一九三〇年、後期反英運動の嚆矢となったタキン党が結成され、いよいよ組織的で持続的な独立闘争が展開されていく。さらに一九三九年にはビルマ共産党が結成され、タキン党、人民革命党、貧民党、学生連盟などが結集して一九四四年「反ファシスト人民自由連盟（パサパラ）」が成立し、抗日運動が展開されるに至った。

この大同団結が独立の勝利を導いたことは確かであったが、同時にタキン党を中心にした民族主義者たちは、イギリス植民地時代の統治を継承し、政治体制や国境の策定などもそのまま引き継いだのだ。そのためこの枠組みの下に、議会制民主主義もあり、他民族支配もあったのである。

パンロン会議（ミャンマー（ビルマ）がイギリスから独立する前年の一九四七年二月、シャン州のパンロンで開かれた会議）において、ビルマ民族主義者は三民族つまりシャン族、カチン族、チン族のみとの協定に応じただけで、その他多くの民族を蔑ろにした。しかもチン族の州は認めず、シャン族とカチン族にしか州を与えなかった。

一方で、イギリスの植民地政策に協力してきたカレン族は、宗主国イギリスと独立交渉を重ねたが、独立を勝ち取ることはできずに終わった。そこで、カレン民族の居住地がビルマ国家に編入されることを拒んで、自らの国を求めてビルマ民族主義者（タキン党）と戦闘を開始し内乱に及んだ。特にミャウミャの「カレン・ビルマ衝突事件」では、ビルマ独立軍（タキン党）がカレン民族を大虐殺し、武器を持たない女・子供までが多数犠牲になっているが、これも民族主義の特徴である。そしてついに一九五一年、カレン族はカレン州を獲得する。

ところで、アウンサンが糾合して集めた例の「三〇人の志士」が、独立闘争の過程そしてその後にどのような活動をし、どのような人物になっていったのであろうか。

まず、戦闘や病気や自殺、そして暗殺で死亡した人物が八人、実業家になった人物が七人、残りの一五人のほとんどがパサパラ（AFPFL）の政治家（うち二人は共産党）になっている。このパサパラの政治家たちが軍事部門を牽引し、その後継者のナショナリストたちが国家の指導部を独占し、やがて軍事政権を産み出していったのである。暗殺されたアウンサンが生き残っていれば、当然このパサパラの軍事最高指導者になっていたはずである。アウンサン将軍を「建国の父」と崇め神格化したのは、ミャンマー国民より先に誰よりもこのパサパラ（とその後継者）の軍人たちであったはずである。現在でもこの国では、独立記念日（一月四日）よりも七月一九日（アウンサン暗殺日）の方が重要な国家的行事であるのも頷けるわけだ。

わたしがアウンサン将軍邸（記念館）を初めて訪れたのは「アウンサン将軍邸のプルメリア」（ヤンゴン五景参照）で書いた通り、二〇一三年四月のことである。この時、彼の書斎に収納されていた二五〇冊ほとんどの蔵書が英文の書物であったことに驚いたものである。ビルマ語の図書はついぞ見ることができなかったのだ。自国の書物を読んでいなかったとは考えられないが、知的教養がもっぱら洋書で培われたことは想像するにかたくない。植民地支配にある知的エリートが、宗主国の書物で知識を得ることは何ら不思議なことではないので、アウンサンも西欧的教養に邁進したとすれば、そのことが学生運動のリーダーやその後のタキン党の中心人物となり反英運動を展開するに当たって、それまでの土着的・農民的な抵抗運動を越えて、近代思想に基づく独立運動を実践する土台になったことは確かなことであろう。

だが、アウンサンは基本的には祖国の独立を願った民族主義者に変わりはなかった。彼はなぜ日本陸軍（南機関）に属してイギリス軍と戦ったのか。中国の抗日運動を初め、日本軍部の帝国主義に根ざしたアジア侵略を知らなかったはずはない。ビルマにおいても、一九三九年共産党が創設され抗日運動は起こっていたはずである（後に共産党書記長になった作家テインペーミンはインドですでに抗日運動に関わっている）。初代共産党書記長になったアウンサンがなぜ抗日運動とは逆の親日になり、南機関と行を共にしたのか。それは彼が日本の民族主義（八紘一宇を求めてビルマに進軍して来た日本軍部）に共鳴したからに他ならないというのがわたしの考えである。

さらに言えば、パンロン会議において、アウンサンが植民地時代の国境を新生ビルマ領内の領域と考えたからこそ、他民族をもそのビルマ領内に留めおくことに躊躇しなかったのだ。そうでなければ、カレン族を初め他民族独立を対等の関係として認めてもよかったはずである。

アウンサンが初代共産党書記長にあったからと言って、彼が共産主義者であったと考えるのは、当時のアジアの政治情況を考えてみれば、早計と言わざるを得ない。そもそもアジア地域で、マルクスの思想を継承するヨーロッパ型共産主義運動を踏まえた形で共産党が結成され、それに基づいて活動が展開された国などほとんどなかったことは当時の歴史情況からして当然であった。これは一九二五年のコミンテルン（スターリン主流派）の国際共産主義運動のテーゼに深く影響を受けた人物たちが創った共産党である。そのテーゼとは、「民族統一戦線」のためにいわゆる「四民ブロック」（労働者、農民、都市プチブルジョアジー、民族ブルジョアジーの同盟）の下、階級闘争を差し置いて、民族主義運動を優先させるという内容のものであった。それゆえ、東南アジア各国の共産党、特にインドシナ半島の共産党はこのコミンテルンテーゼが基礎となって結成され、ビルマ共産党もその例外ではない（蛇足になるが、日本共産党はそもそもコミンテルン日本支部として結成されているし、中国共産党もそのテーゼに従って蔣介石の国民党に入って抗日民族運動を共に戦っている。スターリンを崇拝していた若き毛沢東もコミンテルンテーゼに従い、国民党に入党し、上海支部の幹部になっている）。

このような背景があったので、民族主義者アウンサンが共産党書記長になったのも何ら不思議ではない（その時彼は二四歳と若く、マルクスやレーニンの著作を読んでいたとは思えないし、共産主義思想がどのようなものかほとんど理解していなかったと思われる）。民族主義的共産主義と言えば、言葉の形容矛盾であるが、しかしスターリンのこの時の考えには多分に民族主義に傾斜した主張が色濃くあったことは否めない。アウンサンがイギリス植民地支配と闘うためには、日本民族主義と独立を求める自分たちの民族主義を区別する必要はない、目的を同じくして共に戦おうと考えたにしてもおかしくはない。

国家の本質

ともあれ、ビルマは独立後主権国家として出発した。この独立国家形成後に政治権力を把握した人々の中に、民族自決としての民族主義は薄らいだであろうが、依然としてナショナリズムの観念が色濃く残っていたことが、それ以降のミャンマーの国家（政治）体制に大きな影響を与えたことは特に重要である。

反植民地闘争に勝利して建国された東南アジアの国々の戦後政治は、王朝時代にヒンズーイズムの王権思想下で、王と民との神聖な関係（ビルマの場合これを支えていたのが上座部仏教）が植民地支配でなくなるや西欧近代思想によって覆され、政治が世俗化されて政治権力（支配）と近代意識の乏しい民（独立した国家の「国民」は西欧近代の主権国家の「国民」とは異なり、いつの間にか「国民」になってしまったという感覚を持たざるを得ない「国民」なのである）との乖離が必然的になって政治の空洞化ができ、それを解消するためカリスマ政治（独裁）が出現するという構図をもっている。ビルマの国家もご多分に漏れず絵に描いたようにその道を辿って行った。議会制民主主義を採用し、近代西欧型の政治体制で出帆したのはよいが、政治不安が相次いで当初からいつ難破するか極めて不安定な航海であった。すでに述べたことであるが、共産勢力との内紛、他民族との確執で政治的帆柱はぐらつき始めた。

特に他民族との関係は、これまでの民族と民族との関係ではなくなりミャンマー国家対同国内の他民族の関係に移ったのである。ビルマ民族が宗主国イギリスに対して独立闘争を展開していた最中（さなか）、他の諸民族の中にも独自にイギリス本国の支配を脱しようとする動きがあった。植民地支配の定石としてイギリスによるビルマ人と他民族を引き離す工作が功を奏して民族同士の対立が煽（あお）られた結果、ビルマ族とカレン族のように、ミャンマー独立以前からの民族同士の確執が独立後も持ち越されたことが、ミャンマー国家が他民族問題に悩まねばならなくなったことは事実であろう。しかし本質的問題はこの事実ではなく、ミャンマーの国家成立を契機に国家の問題こそがやはり他民族抑圧の主要因であることをわたしたちは認識しなければならないと考える。

つまり植民地政府の国境策定をそのまま踏襲して成立したミャンマー国家は、その領域は全て自国の国土としたが、それを国家の論理としては当然と考えていたのである。これはひとえに、ミャンマー国家だけの問題ではなく、東南アジア諸国家（植民地からの独立国）を初め、世界のあらゆる他民族を抱える国家に等しく存在する問題であり、それが軍事政権の独裁国家であれ、共産主義と呼ばれる国家であれ、民主主義を掲げる国家であれ、その国家形態の如何を問わず現在の国家が持つ共通の性格に拠っているという意味で、国家の本質と考えた方がよいのではなかろうか。

したがって、ミャンマー国家がつまりビルマ族共同体が国家になった時点で、カレン族を筆頭にシャン族、モン族、カチン族、チン族等の民族共同体をその国家の構造内に取り込み、国家的支配を行うのは国家の持つ性格からして当然といえよう。これは国家自体がナショナリズムを脱却できないところから生ずる矛盾である。とりわけミャンマーの場合、イギリスに対するナショナルな感情はなくなったであろうが、ナショナリズムの理念そのものは残っているので、自らの国家体制維持のためには他民族に対してナショナルな対処を求めていったのである。国家が国家として独立した時点で、今度はその国家の維持・発展に努めることが課題になり、そのためには安定した秩序が求められる。そこでこの秩序を乱す反政府、反国家運動は抑え込まざるを得なくなる。他民族問題が国家の中に繰込まれて新たな段階に入ったが、その国家イデオロギーが色濃いナショナリズムで支えられている限り、カレン族などの民族独立運動を弾圧するのは必至となろう。

とは言え一方、独立を要求するカレン族にしても、「民族」としてビルマ族に抑圧されるから「民族」として反撥を強めるのである。したがって、かりにカレン族共同体が独立して彼らの国家を創ったとしても、その中に他の少数民族が存在していれば、少数民族が圧迫されるであろうことは言うまでもないことである。民族意識としてのナショナリズムとそれがイデオロギーとして機能する国家（意識）

が揚棄されない限り、このスパイラルは続いてゆかざるを得ない。いずれにしても、カレン族のような民族共同体がミャンマー国家の支配を脱し、自らの独立国家建設があるとすれば、彼ら自身がかつてビルマ族がイギリスから独立を勝ち取ったと同じ方法つまり民族独立闘争に勝利する以外、現状ではあり得ないことである。

理念としての民主主義の脆弱性

さて、ビルマ独立主権国家建設は、植民地支配の宗主国イギリスの近代政治制度を模範に議会制民主主義からスタートしたのであるが、これが理念としての民主主義、建前としての政治であって、現実に民主主義をビルマの地に根付かせる政治手法を求めての制度ではなかったので、ほぼ一〇年で頓挫してしまった。政治的近代化を実現するためには、従来の人格を重視した人間関係を政治世界の中軸に据え、そうした特定の人格主義に基づく為政者たちが政治を私物化（そこで互いに利害を調整するため賄賂が横行する）して権力を獲得して政治が実行されるような前近代的体質から脱皮して、政治的理念、その政策の実践、法的根拠や司法を重視する政治という質的変化が必要不可欠である。東南アジアの戦後政治は当初ほとんどがこの近代化に至る前に、むしろカリスマ的人物の独裁的権力が専制政治を恣(ほしいまま)にする形態をとっている。例えば、インドネシアのスカルノが国家分裂の危機に直面して議会制民主主義を止め、権力集中を計って独裁政治を行ったことなどである。

ビルマにおいても一九六二年、ネウィンがクーデターで国軍の軍事政権を樹立して、「人づて政治」

いわゆるcrony（クロニー）政治を中心とした前近代的政治体制を以後長きにわたって維持し続けた。ビルマ民族主義者の軍人の彼は他民族の自治権を奪い、政治的支配を強化したので、カレン族以下の激しい武装闘争を招いた。ビルマは国家ナショナリズムにフィードバックしたのである。この軍部の独裁政治は、いまだ近代意識が薄く、アニミズムの精神構造を胚胎させ、テラワーダ仏教*の戒律を日常生活の倫理としている庶民・大衆を支配するため彼らの仏教ナショナリズムを利用した。

民主化闘争とアウンサンスーチーの登場

さて、このネウィンの軍事独裁政治体制を後に８８８８蜂起と言われた反体制闘争（ゼネストや街頭デモンストレーション）が倒し、以後の民主化闘争の先陣を切ったことは切ったが、すぐに九月の軍事クーデターで政治権力は再び軍部の手に落ちてしまった。この闘争のスローガン「民主化」の具体的中身が、「暫定政府の設立」、「複数政党制に基づく総選挙の実施」、「人権の確立」、「経済の自由化」などをみれば、軍政のナショナルな国家を廃し、近代主義的国家の樹立を目指すものであったことは明らかである。しかしながら、闘争は敗北し、闘いの主体は軍政にそのエネルギーを奪われて、スローガンは実現するにはほど遠い情況になってしまった。とはいえ、これを契機に反軍政闘争は新たな段階に入ってゆく。

少し前まで遡ってみると一九八七年には、市民を巻き込んだ学生の反軍事政権運動が勃発していた

＊上座部仏教のこと。自力の修行以外悟りに到達することはできないとする。

が、八八年三月の学生デモで死傷者が出、情勢は一気に加速した。これに対する抗議行動が激しくなり、六月のミィニゴン交差点事件、八月八日〜一〇日、学生・市民の大規模ゼネスト、街頭デモに発展し、軍政側の大弾圧で大量の犠牲者（死傷者、逮捕者）が出た。この一年ほどの反政府闘争期は学生運動が中心を担い、参加したたくさんの学生たちが無差別の激しい弾圧の嵐にさらされている。

さて当時、アウンサンスーチーはこの渦中の人ではなかった。彼女がイギリスからビルマに帰国したのは八八年四月二日である。しかもこの民主化闘争に加わるために帰国したのではなく、母親の看病のためであった。その闘争が激化している最中の七月一九日、熾烈な弾圧を繰り返している軍事政権が、彼らの最も尊崇する建国の父アウンサン将軍の暗殺日に開催した記念式典にアウンサンスーチーは招待され、それを受諾して出席している。

彼女が公然と市民・大衆の面前に姿を現わし、その政治的アジテーションを行ったのは八月二六日である。ここから彼女の政治活動は始まった。そしてそれ以後の民主化闘争の中核を担う国民民主連盟（NLD）の結成が九月二七日である。その党首が他ならぬアウンサンスーチーその人である。その後民主化運動がNLDだけで闘われたわけではないが、多くの困難を乗り越えて、二〇一五年の総選挙に圧勝し、政治権力を奪取するに至ったことはひとえにNLDなくしては考えられないことである。その意味で言えば、アウンサンスーチーの民主化闘争過程における活動は、大いに評価されてよいとわたしも考える。

しかしながらだからと言って、長年アウンサンスーチー礼賛の大合唱を繰り返してきた人たちに同調もしなければ、その後アウンサンスーチーに裏切られたと騒ぎ立てている人たちに賛同する者でもない。その理由を以下に記してみたいと思う。

アウンサンスーチーの政治思想

「現在、私たちが持たなければならない気持ちとは、国家の利益のため、民族の利益のため、国民が欲する人権を確保するため、身を粉にして行動するのだという信念です。こうした気持ちを全ての人々が持つならば、私たちが欲している民主主義を、最も早く手にすることができます。」（『アウンサンスーチー演説集』、伊野憲治編訳、みすず書房、一八二ページ、以下引用はこの書に拠る）

わたしが解説するよりも、彼女の言葉に直接耳を傾けた方が、その主張（考え）を理解できると思い引用したものである。彼女はまた別のところでも、「私たち全ては民族の大義である国家の発展・繁栄、国家の安寧、侵すべからざる国民の諸権利獲得のために引き続き行動していかなければならないと決意することが必要です。」（二六五ページ）とも語り、さらにまた「政治とは何か。政治とは簡単に言えば民族の大義です。党派政治、国民政治といった区別はありません。政治とは民族の大義、民族の大義とは政治です。…国家の利益のために行なうすべての事柄が民族の大義です。」（二六六ページ）とも言っている。

このくどいとも言える「民族の大義」のトートロジー！　その他演説集の至るところで同様の言説が繰り返されているが、ここに彼女がなぜ民主化闘争をするのかその政治的目的はほぼ集約されているのではなかろうか。一口で言ってしまえば、これは国家と国民は一体であるべきだ、国家＝国民という認識である。つまり彼女の政治意識には、国家と国民は一直線には繋がらないという認識が欠如している。この考えは結局、国家の利益にならないこと、民族の利益にならないことはしてはいけないという考えに行きつかないか。あえて言えば、これはヨーロッパの近代国民国家形成時のナショナリズムに近い考え方であり、わたしたちが考える国民主権を国家に優先する民主主義とは異なる思想である。国家は人間の思考の産物であり、人間の存在を前提にはじめて存在できるにすぎないが、人間は国家が無くても存在しうるという思考はアウンサンスーチーの頭にはなかった。

「愛国心というのは、犠牲となる心です。自分の民族を愛している、自分の国を愛していると言っておきながら、家のなかで座っているわけにはいきません。」（二〇八ページ）。まるでどこかの右側の団体の発するような言葉に聞こえるのだが、「国家の犠牲となるくらいなら、家の中で座っていたほうがはるかにましである。」とわたしだったら考える。ここで語られている「愛国心」とは明らかに国家が国民に強いてくる国家的イデオロギーとしての愛国心である。時の政治権力が庶民・大衆が持つ自分たちが住む土地（habitat）への自然な愛着を国家愛へと嚮導（きょうどう）するナショナルなイデオロギーである。

アウンサンスーチーが民主化を達成するためにはどのような闘いをすべきだと考えていたのか、また獲得されるべき民主主義とはどんな民主主義だったのかを知るために、わたしたちは彼女が初めて市民・大衆の前に登場した八八年八月二六日まで再度遡（さかのぼ）ってみる必要がある。この日の演説は闘争を続けている学生たちが企画したもので、彼女が自発的に行ったわけではない。この時点では彼女は全くの政治の素人であり、運動のヘゲモニーは長く闘争を継続してきた学生たちの下にあったことは確かなことである。アウンサンスーチーを民主化闘争の英雄に仕立て上げるために、当初からアウンサンスーチーが民主化闘争に身を挺していたなどと称揚するならば、それは歴史の捏造に組することになる。彼女はあくまで途中出場者なのである。

この日の演説は、「建国の父」の娘として、国民大衆の絶大な拍手で迎えられ、これ以後の民主化運動に大きなステップとなった。ただ演説の内容は必ずしも闘争の集会に相応しいものではなかった。のっけから「規律」(と団結)が強調され、最後もまた「規律」で終わる。計一一回もこの言葉が語られているのにわたしは驚いたものだ。学生指導者モーティーズンが彼女に宛てた手紙の中でも、「規律ある行動をとれ、団結しろと民衆に説く哲学は、元BSPP議長ネーウィンの善良な国民であれという政策とたいして違わない。この哲学では、国民が熱望する真の民主主義を獲得することは不可能だ。」と鋭く批判している。

ともあれ、この演説の最後に語られたスローガンを見てみよう。

①国民投票は不要である　②一党制の廃止　③複数政党制民主主義体制の確立　④公正な選挙の実施、である。

これに対して、学生たちが掲げていたスローガンをここに並置してみたい。

①一党制の廃止と現政権の総辞職　②暫定政権樹立　③暫定政権下での公正な選挙の実施、である。

ダブっている項目もあるが、決定的に異なるのは、学生たちが軍事政権打倒後新しい政権下での選挙を掲げたのに対し、アウンサンスーチーの方は、現軍事政権下で複数政党制とそれに基づく選挙を認めようとしている点である。この違いが以後の闘争過程で多大な齟齬となって民主化運動に影響を与えていくことになる。そのことを実証するためには八月から九月にかけて日一日、刻々と変化する政治情況をみる必要があるので、時系列でそれを追ってみようと思う。

すでに三月事件で学生側に死傷者が出てから、運動は一気に盛り上がりを見せ、六月一五〜二〇日には四〇〇〇〜五〇〇〇人の学生に僧侶、高校生、労働者も加わって、デモ隊と治安部隊が激しく衝突し死傷者が出た（ミィニゴン交差点事件）。そして学生・市民のデモの数は二〜三万人に達した。

＊七月七日、一〇日、一四日：学生連盟が相次いで声明を発表。ナチ政府打倒のためストライキ・デモの直接行動に出ようと民衆にも訴える。

＊七月一九日：「殉難者の日」（アウンサン将軍暗殺日）、この闘争の高まりの中、アウンサンスーチーが軍事政権主催の式典に出席する。

＊七月二七日：七月二三〜二五日の党大会で、ネウィン*が党議長を辞任し、複数政党制への国民投票実施を提案するも否決。それを受けてセインルインの党議長・大統領就任。

＊七月二八日、三一日、八月一日、二日：学生たちの反政府集会・デモ。

＊八月三日：ヤンゴン中心部で学生・市民の一万人のデモ。戒厳令発布。

＊八月四日：戒厳令下、ヤンゴン市内で二〇〇〜三〇〇人の学生デモ。

＊八月六日：英BBC放送が三月事件、六月事件の真相と逮捕された学生たちが受けた拷問を報道。

＊八月七日：学生たちは、①逮捕中の学生の釈放　②退学処分を受けた学生に対する処分撤回　③学

生連盟の合法化、学生連盟会館の再建　④国民投票の実施　⑤犠牲者に対する追悼式典の実施、彼らに対する賠償金の支払い、これらの要求を掲げ、翌八日に大規模なデモを決行すると闘争宣言が出される。

＊八月八日：いわゆる後に「8888運動」と呼ばれた一〇万人の反政府集会。

＊八月九日：学生・市民の大規模デモに当局は無差別発砲で答える。大量の死傷者出る。

＊八月一〇日：学生のデモ。当局が発砲。ヤンゴン市内で市民がバリケードを構築。

＊八月一二日：セインルイン政権がたったの一六日間で崩壊。

＊八月一五日：アウンサンスーチーが国家評議会へ手紙を出し、国民各階層の指揮者からなる国民評議会の設置を提案。

＊八月一九日：マウンマウン政権が発足。民主化勢力へ譲歩し、国民の意見を求める世論調査委員会設立を発表。この間、工場のストライキは続く。

＊八月二〇日：「複数政党制導入」を求め大規模デモ・ストライキが連日続く。もはや戒厳令は効力なし。当局がすでにデモを規制する能力がなくなってくる。

＊八月二四日：マウンマウンが二度目の譲歩。戒厳令、夜間外出禁止令、集会禁止令の解除。複数政党制導入を問う国民投票の実施を約束する。

＊八月二五日：アウンジー釈放。一〇万人野外集会。

＊アウンサンが糾合した「三十人の志士」の一人。「ビルマ独立義勇軍」を結成し、イギリス軍、日本軍と戦った。一九六二年、クーデターで軍事政権を樹立し、「ビルマ式社会主義」といわれる政治を実行した。

＊八月二六日：アウンサンスーチーがシュエダゴンパゴダで演説。暫定政権は必要なら作るべきと発言。
＊八月二七日：ティンウー（元国防相）が演説。
＊八月二八日：「全ビルマ学生連盟連合（バカタ）」（合法）が結成される。中央委員会第一回大会が開催。ミンコーナイン、モーティーズンの演説。
＊八月二九日：大規模デモ。その後も連日デモ。
＊九月一日：マウンマウンの三度目の反政府・民主化勢力への大幅な譲歩。複数政党制と総選挙実施のための国民投票の提案。また、学生連盟を公認する。学生に選挙が公正に行われるかの監視役を要請する。デモやストに参加した公務員を処罰しないことを約束する。
＊九月二日：学生は国民の要求が成就するまで闘争を続けると宣言。連日デモ・ストライキが続く。
＊九月五日：「ゼネスト委員会」結成。
＊九月九日：国軍の一部がデモに参加。
＊九月一〇日：「全ミャンマー学生連盟連合（マカタカ）」結成。マウンマウンが四度目の譲歩をして三ヶ月以内に総選挙実施を提案する。
＊九月一一日：バカタが「並行・臨時政府」樹立を声明。
＊九月一二日：アウンサンスーチー、ティンウー、アウンジーが暫定政権樹立をマウンマウンに書簡で要求。
＊九月一三日、一四日：マカタカがウー・ヌ、ボーヤンナイン、アウンジー、ティンウー、アウンサンスーチーを招き、暫定（臨時・並行）政権樹立を要求。アウンサンスーチー等が学生たちの要求を「革

命の時期が熟していない」と書簡で断わる。

＊九月一八日：ソーマウン国防相がクーデターで全権掌握。国家法秩序評議会（SLORC）結成。

（以上、訳者・伊野憲治の「民主化運動とアウンサンスーチー」から作成）

民主革命――政治権力奪取か改良か

この政情変化の流れを追ってみれば、学生・市民の果敢な闘いによって、軍事政権側が次第に追いつめられてゆくのが誰にでも明確に見て取れると言えよう。ネウィンの辞任から始まって、セインルイン政権の崩壊、そしてマウンマウンの度重なる民主化運動側に対する譲歩によって、学生・市民の闘争の勝利が具体的に目前まで迫ってきていたのである。すでに九月初旬、政権側にはデモやゼネストを止めることもできない、かといって再び軍の銃弾で民主化闘争を粉砕することもできないというジレンマの情況が現出していた。そんなことをしてしまったら学生・市民の闘いの炎に油を注ぐ事態を招き、今度こそ自滅への道を辿る以外にないと軍政側も察していたに違いない。どう考えてみても、軍事政権の権力行使がストップし政治権力が一時的に空白になり、機能不全に陥った政治的アナーキーの状態を意味している。もはや権力の所在がどこにもなくなっていたのである。通常の考えからすれば、これぞまさしく民主化闘争側が権力奪取を求める千載一遇のチャンスが到来していたのだ。そして学生たちは時宜を得た正確な判断で唯一の方針を採択した。九月一一日の「並行・臨時政権」の樹立宣言である。

わたしはここで一つのシナリオを描いてみたいのである。マウンマウンが九月一〇日、四度目の譲歩で三ヶ月以内に総選挙実施の声明を出したのを逆手に取って、まず複数政党制を認めさせ、民主化側も結束してひとつの政党を作り（この時点でNLDは存在しない）、合法的選挙に臨む。そして恐らく民主化側の勝利で終わる。ここに至って合法的に政権獲得が可能になる。その後、民主政権の政治を実行してゆけばそれがベストの選択であったかもしれない。なぜなら、合法的に、誰ひとり血を流すことのない無血革命になったであろうから。もちろん、軍事政権が二年後のNLDの選挙圧勝を認めないことも、その後三〇年間の数々の暴挙・弾圧もなかったし、またアウンサンスーチーのノーベル賞受賞もなかったはずだ。いずれにしても、学生たちの政権打倒後の民主化であれ、何であれこの絶好のチャンスを逃したらやはり不可能であった。事実、結局軍部のクーデターで不可能になってしまった。

この時、アウンサンスーチーが「革命の時期が熟していない」と言って学生たちの要求を拒否したことは、演説を通じて常に「民主化勢力の団結が一番重要、軍政とも一緒にやってゆかなければならない」と口癖のように言っておきながら、自らその団結を破り分裂を起こしてしまったことも、さらにまさに革命の絶好のチャンスが今来ているのに、革命の時期が熟していないといった状況判断能力の欠如した政治オンチ振りも、血で抗われた民主化闘争には少しも役立ってはいない。それどころか、彼女のこの分裂宣言を学生・市民の闘う部隊との確執と受け取って、この機会を逃さず四日後ソーマウンがクーデターを決行し、見事成功させたことを考えれば、「時期が熟していない」という判断は大きな意味を持っていたことになる。一体なぜ彼女は九月一二日、自ら暫定政権樹立を軍事政権に要求しておきながら、学生たちが彼女に同じ暫定政権樹立を迫った時、それを拒絶したのであろうか。要求が同じなのに矛盾ではないのか。この矛盾を解く鍵も「時期が熟していない」にある。彼女は常に政敵の軍事政権の人々とも団結して一緒にやっていかなければならないと考えていたので、学生たちの政権打倒に組するわけにはいかなかったからなのだ。

あの世界を揺るがせた一〇日間の歴史的大事件であったロシア革命において、レーニンの革命の時期は九月でもなく、一一月でもなく一〇月だけが唯一成功をもたらせるという判断の下、見事革命は成就したのである。政治的指導者の優れた判断がいかに大事か。しかも、首都ペトログラードの闘いはわずか二日で革命側の勝利に終わって、死者も一〇～一五人とミャンマー民主化革命の数千の犠牲者と比べれば、ほとんど無血革命と呼んでもよいほどのものであった。

そうした理解に立ってみると、ミャンマー民主化革命においても、軍事政権に大きな打撃を与え、次々と勝利を獲得してゆく学生たちの活動は、世界の学生運動史上に冠たる闘いであったことに間違いはない。

一方、アウンサンスーチーといえば、この七月七日から九月一一日までの最も高揚した民主化闘争の渦中の人ではなかった。八月二六日の大衆の前の演説を除いて、彼女は市民・大衆の前に姿を見せてはいない。ほとんど運動に寄与してはいないのである。この間の彼女の心の中には、学生・市民の闘いにはついてゆけない枷(かせ)が存在していたことは明白である。彼女はガンジーの非暴力主義の信奉者を自認しているが、ガンジーの非暴力主義とは、徹底的に抵抗した闘い、デモや座り込み、ストライキなどの闘争を続け、官憲の弾圧で逮捕、暴力、発砲、銃殺にさらされても、暴力では対抗しないというものである。この間の闘いで、これを徹頭徹尾貫いたのは他ならぬ学生・市民たちであった。彼らは激しい弾圧、逮捕、投獄、拷問にも屈せず、街頭の銃殺にさえ非暴力で闘ったのである。そして多大の犠牲者を出したのだ。アウンサンスーチーは一度でも学生・市民と腕を組んで弾圧の嵐の前に立ちはだかったことがあったのか。この意味からすれば、アウンサンスーチーの姿勢は非暴力主義ではなくむしろ無抵抗主義に近いと言わざるを得ない。

蛇足を付け加えるとすれば、彼女は毎回の演説でほとんど父アウンサン将軍の偉大さを説いているが、そのアウンサンは、ガンジーの非暴力の反植民地闘争にあきたらなくて日本軍に助けられて武力闘争をしたチャンドラ・ボースと全く同様に、日本軍とともにイギリス軍と武力で戦い、またファシズム日本に銃を向けて勝利を獲得した武闘の人である。

さて残念なことに、この民主革命は軍部のクーデターによって、敗北という悲劇で第一幕を降ろしてしまった。そしてその後の何十年という苦難の第二幕が始まってゆく。この革命劇の失敗について、わたしの岡目八目の批評を一言だけするならば、モーティーズンの言葉「我々は政府を転覆させることはできる。打ち倒すことはできる。しかし、創りだすことは我々の仕事ではない。能力を持った人々の仕事である。」(二六ページ)として、学生たちがレージーたち(アウンサンスーチー等大人たち)に期待をしていたことが、失敗の第一の原因だった。恐らく、学生・市民だけで政権を打倒し、民主的政権を奪取できたであろうし、その後いくらでも人材確保は可能であったと思われるのである。学生たちのこの瞬間の政治的判断の未熟さが敗北を招いてしまった要因であった。

とはいえ、わたしはこの民主化革命において、学生・市民の果たした役割は、総じて素晴らしいものであったと賛辞を贈ることに吝かではない。どんな社会変革も指導者はいるが、その変革を成し遂げるのは闘争に加わった多数の人々であり、決して指導者ではない。フランス革命はロベスピエールが行ったわけではなく、多くは市民と呼ばれる人々や大衆であったし、ロシア革命にしても革命を担ったのは労働者、農民、兵士、その他多くの無名の人々であり決してレーニンではない。指導者がいて民衆がいるといった英雄中心に歴史を集約してみるいわゆる英雄主義的歴史観は、それが歴史の総体を掴むものではないという意味で、決して優れた学問的方法論ではない。

ミャンマーの民主化闘争もこれを成し遂げたのは広範な民衆つまり学生、労働者、農民、僧侶や兵士であり、決してアウンサンスーチーではない。なぜならレーニンがいなくてもロシア革命は起こったであろうし、ミャンマー民主化革命もアウンサンスーチーなくしても成就したはずだからである。そうした意味合いで言えば、先般アイスランドで起きた、カリスマ的リーダーもいない、さらに誰ひとり血を流していない「鍋とフライパン革命」は、二一世紀の先駆的革命に相応しい革命であったといえよう。

アウンサンスーチーとクロニー政治

さて、『アウンサンスーチー演説集』は二九の演説が収録されているが、そのうち市民・大衆を前にして行われたのはわずか五～六演説で、あとはＮＬＤの各支部における主として党員集会での話がほとんどである。その中身はどれも大同小異で、政治的話題もあるにはあるが、「民主的制度が成功するか否かは、国民の肩にかかっています」(一四三ページ)と言っている割には、多くはまるで仏教寺院の道徳講話や法話・説教の類を聞いているような印象すら持つのはわたしだけではないに違いない。長くなるので引用は差し控えるが、道徳的訓示の類がたくさん語られ、宗教(テラワーダ仏教)的教説に基づいた内容が中心で、これが政治集会の演説とはとても思えない(「いろいろな時代に世界中の知識人たちが、すばらしい考え方・思想を書いた本は、私たちのためにとても価値があります。こうした本の中で、最高のものは、もちろん仏教関係の書物です。」(二一六ページ))。

それかあらぬか、演説それ自体もアウンサンスーチーが一方的に話すだけで、質問もなければ、ましてや最も重要な議論・討論もない模様である。つまり聞いている方の主体の姿が一向に見えてはこないのである。民主主義を目指している政治的党派がこれでは弁解の余地はないであろう。その説教の中のひとつとして、彼女の国軍(軍事政権)に対する考え方も問題があるとわたしは考える。

「国民の皆さんも、起こってしまったことは何とか許してあげて、国軍に対する慈愛の感情を棄ててしまわないようにお願い申しあげます。」(四九ページ)

彼女の最初の演説にある言葉である。「起きてしまったこと」とは、国軍の学生・市民に対する数々の暴虐をほしいままにした大弾圧、暴力、逮捕、投獄、拷問、そして千人を超える大虐殺を指しているが、これらを慈愛の心で許してあげようと言っているのである。その外、「軍の問題に関しても、軍と決裂しないことが重要です。」(五九ページ)「選挙が終われば、民主的な政府ができれば良いという話ではなく、その後もこの国の平和・安寧のためには、たいへんな努力が必要です。現在私たちの敵のような立場にある人々とも手を携えてやっていかなければ、国の繁栄はありえません。」(八七ページ)

その他いたるところで、国家の大義・利益のために、同じ民族なので軍部とも一緒にやっていかなければならないということが強調されている。もちろん、これらの言葉は全てアウンサンスーチー（NLD）が政治権力を握った後のものではなく、それよりも数十年前のものである。

その当時より、欧米の民主主義を標榜する国々や人権団体の人々がなぜこんな発言を繰り返していたアウンサンスーチーを民主化の旗手などと考え、彼女を手放しで称賛していたのかわたしは理解に苦しむ。そしてこの同じ人々が、彼女が「軍部の人たちと一緒にやらなければならない」と主張していたことを、権力獲得後その通り実行し、軍部と和解・ドッキングを果たしたことに失望し、非難し出したことも同様に理解することはできない。なぜならアウンサンスーチーは、ことの初めから今に至るまで、この主張は首尾一貫していたし、一度たりともブレを生じたことはなかったからである。彼らは自らの頭の中に、アウンサンスーチーという人物を勝手に思い描きひとり観念芝居を演じていたにすぎない。そしてまたアウンサンスーチーに裏切られたとこれまた勝手にわめき立てているにすぎない人々である。

さらに逆に軍事政権側がアウンサンスーチーのこれらの発言をどのように考えていたのであろうか。

「国軍は私の父が創設したものですから、私は協力してやっていかなければならないと考えています」（二〇九ページ）とアウンサンスーチーが最も敬愛・尊敬している父のアウンサン将軍をこのように言えば、アウンサン将軍と国軍を創った同僚（ネウィンたち）やその後輩たちも「国軍の父」としてアウンサン将軍を称え、最高の敬意を表してきているので、その娘を粗末に扱うことはしたくないと考えるのは理の当然といえよう。もちろん、「殉難の日」（七月一九日）の式典にその娘を招待するのは彼らの義務ですらあったであろうし、その後もこの態度は一貫して少しも変わってはいない。アウンサン将軍の妻であり、アウンサンスーチーの母であるキンチーが亡くなった時には、民主化で反目し合っていた最中（さなか）であるにもかかわらず、アウンサンスーチーの自宅にソーマウン議長（クーデターの張本人！）、キンニュン第一書記等、軍政最高幹部が弔問に訪れたことも全く不思議なことではない。クロニー政治（お仲間政治、コネ政治）を旨としていた軍事政権として当然のなりわいである。

わたしがかつてメーサイに滞在していた折、メーサイ川対岸のタチレクで払暁、麻薬王クンサーの軍隊と国軍の戦闘に遭遇したことがあった。わたしはその時生まれて初めて本物の銃の音に触れたのだが、国軍の暴虐を恐れてメーサイに逃れてきたシャン族（クンサー支持）の人々の中にわたしの知り合いもいたので、彼らをわたしの部屋に一時避難民として保護をした。そしてこの銃撃戦のおかげで、国境が閉鎖され、チェントンへの旅も断念せざるを得なくなり、とんだトバッチリを受けたのである。この戦いはクンサーの降服で終わったのであるが、軍事政権の処理がまさにクロニー政治そのものであった。アメリカのＣＩＡのクンサー引き渡しの要求を拒否し、こともあろうに彼をヤンゴンの高級住宅街に住まわせ、自由に行動することを認め、大がかりなビジネス活動も許してクンサーを遇したのである。これはもうひとりの麻薬王ローシンハンに対しても全く同様で、表向きは死刑を宣告しておきながら、その犯罪を許し、あげくには仲良く相携えて経済活動に邁進して、莫大な利益・利権を分かち合うまでになった。彼は「アジアワールド」というビジネス組織を作って、その子孫は目下ミャンマーの経済界を牛耳る、なくてはならない重鎮であり財閥である。こうしてクンサーとローシンハンの係累はミャンマーの国家的経済プロジェクトなどに欠かすことのできない存在になっている。アウンサンスーチーの政権獲得後は、ＮＬＤの政治資金のバックボーンにもなっているとのことである。

軍事政権が学生・市民の民主化運動に大虐殺で臨み、ＮＬＤの党員たちをも容赦なく逮捕・投獄を繰り返している中で、その政党党首のアウンサンスーチーだけがなぜ自宅軟禁という寛大な処置で済んでいるのか。本来ならば党首こそ真っ先に逮捕・投獄されるのが歴史の常である。それはやはり彼らが畏敬してやまないアウンサン将軍の娘なので、厳しい刑を科すことができないというクロニー的判断によると考えても考えすぎにはならないに違いない。

そしてまたアウンサンスーチーが政権奪取後すぐにかねてより考えていたように軍部と宥和・和解を始め、彼らの数々の罪を仏教的慈悲の心で許し、相協力して政治の運営を行うに至ったことも、このクロニー政治に無縁とは言えないのではなかろうか。もしも民主主義を実行するのであれば、軍事政権を担い、数千人もの罪のない人々を虐殺した国家的犯罪者たちをその罪の廉（かど）で告発し、民主主義にのっとって公正な裁判にかけて裁く責任があるのは当然であろう。それこそが犠牲者への一番の追悼にならないか。それをしないばかりか、民主化闘争を闘って長い年月獄に繋がれていた闘いの盟友であったはずのコーコージーを選挙人名簿から外し、軍事政権と和合して政教一致の政治を実行することは、近代民主主義が政教分離を宣言して始まったことを考えれば、とても民主主義の精神とは相容れない思想ではなかろうか。

彼女のこの政治思想はまた、連邦内の他民族に対しても適用されている。

「我々はシャンだから、我々はチンだから、我々はカチンだからといった気持を持ったならば、私たちの連邦にとっては、良き兆候とは言えません。私たち全ては、連邦の子なのだという気持ちを育む必要があります。」（一八四ページ）

その外、演説集の随所で、少数民族（彼女の言葉）は連邦のために大同団結しなければならないと説いているが、これはアウンサン将軍の考えをそのまま踏襲した他民族対策である。つまり他民族全てをミャンマー国民として、初めからア・プリオリに彼らを連邦内に留め置くとする考えである。その中で彼らに不可侵の諸権利や自治権を認めると言っているにすぎない。

長きにわたって独立闘争を続けてきているカレン族の独立問題などを解決するには、少なくとも連邦という枠組みを一端外して対応するという真摯な姿勢が必要なのに、彼女の眼中にはそのようなパースペクティブは皆無である。こうしたビルマ族中心の国家ナショナリズムの考え方では、対等の立場で円卓に就くことはできないので、他民族問題の解決は暗礁に乗り上げてしまうに相違ない。二〇一六年からの数回の「パンロン会議」でアウンサンスーチー自身の望むような成果が出ないのも由なしとはしない。

真に連邦内の民族問題を解決するのであれば、各民族に連邦内に留まるか、それともその外に出たいのかをまず問い質し、その選択は彼ら自身に任せるのが本当の自治権を認めることになる。他民族側も自分たちの全民族の意向を反映した形でそれを決定し、ミャンマー政府もその決定を尊重する、これが最も民主主義に則った、誰もが納得する方法ではなかろうか。

ミャンマーの宗教（テラワーダ仏教）

さて、東南アジアの特徴である国家・民族・宗教の三位一体的国家統治がどのように崩れて、この地に近代が成立するのか、言い換えれば、近代民主主義がどのようにこの伝統的体制を解体させて新しい世界を作り上げるのか、その一環としてミャンマーにおける宗教の問題を取り上げてみたい。

何年か前、南部の島嶼メルグイアーキペラーゴの熱帯雨林の植物相（フローラ）や動物相（ファウナ）を観察したくてメイッの町を訪れたことがある。いまだ軍事政権下で、外国人の立ち入りが厳しく制限されていて、島に渡ることが不可能と知った。出足を挫かれたわたしは何をするでもなく、この町に二週間近くも滞在するはめになってしまった。他の町に出かけて宿泊するのは相ならぬと禁止されていたので、日々無聊を慰めるため町中をひたすら歩き回り、夜はレセプションの若いスタッフとおしゃべりですごしていた。外国の客はめったに来ないし、日本の旅行者も皆無である。昼

メイッの私が宿泊した宿のオーナー（仏教徒）の長女

間はヤンゴンの大学を卒業したばかりのオーナーの長女がひとりで受け付けの仕事をこなしていたが、夜間はカレン族の青年が代わってこれまたひとりで客に対応していた。この青年はメイッ大学で心理学を修めていて、他にメイッ大学の在学生や卒業生の友人がアルバイトで彼を補佐していた。わたしは彼と親しくなってから、メイッ大学構内をくまなく案内してもらったり、市内をバイクで巡ってもらったりした。彼は敬虔なクリスチャンで日曜の朝には、仕事を中断し、そのまま教会へと足を運んでミサに参加し、終わるとすぐホテルに戻って仕事に就く生活を長く続けているらしい。彼が独身だと言うので、オーナーの長女はどうなのかと話を向けると、実は自分は彼女が大好きで結婚できたらよいと考えているのだと告白した。彼女の方は自分が好きかどうかは判らないと言う。それならわたしが月下老人をかってもよいがと暗に顔を窺うと、もし断られたら恥ずかしくてここで仕事はできなくなるので止めて欲しいと言う。

　実はわたしはもっと大きな別の関心をもってこの話をしていたのである。かりにお互いが好き合っていざ結婚となった時、彼はクリスチャン、彼女は仏教徒なのでそのことが障碍とはならないかと思ったのだ。彼は全く何の問題もないと即答した。わたしはオーナー家族と一緒に一日お寺の行事に付

宿の夜間の帳場をあずかるカレン族の青年
（カソリック系クリスチャン）

き合って、僧侶の長時間の講話を拝聴したので、下の四人の妹たちはしびれを切らせたりして落ち着いて座っていることができず、僧侶の言葉を唱和するときも、適当に口をパクパク開けてその振りだけをしていたのに、父親と長女だけは長い間微動だにせず、大声で唱和を繰り返していて、後ろで見ていてもその真摯な信仰振りがひしひしと伝わってくるのであった。

仏教徒のオーナーもクリスチャンである彼に全幅の信頼をおいて、ホテルの業務全般任せきって自分は一切口をはさまないとのことである。彼が長女と一緒になっても、キリスト教徒だからといってどうということはないということらしい。目下ラカイン州ではムスリムのロヒンギャが仏教徒に迫害を受けているがどう思うかと問うと、そうした争いは止めるべきだ、ここでは仏教徒もキリスト教徒もイスラム教徒もヒンズー教徒も皆仲良くやっていて、一切争い事はないと言った。

わたしは退屈しのぎに、しばしば海を眺めに散歩に出たついでに、港で荷揚げ人夫をしているムスリ

オーナーの娘、（左から）次女（メイッ大学数学科学生）、三女（高校1年生、わたしと腕を組んで市内をよく散歩したが、全く恥ずかしくないと言った）、五女（小学生、生まれた時からずっと男の子として育てられてきた）、四女（中学生、唯一いつもわたしによそよそしくしていた）

ムのバングラデッシュ系やヒンズーのインド系の人々と話を交わしたのであるが、彼らに同じ質問を試みても返ってくる答えは異口同音、カレン族の青年と異なるところはなかった。暮らしの貧しい彼らは底辺の仕事しかありつけないようだが、それでも他民族他宗教の人々を悪く言う男は一人としていなかった。

さらに、メイッ一大きい仏教寺院を訪れた折、思わぬ体験をした。境内にはたくさんの僧院が立ち並び多くの僧侶が聖職に従事しているなか、一人の青年が話しかけてきた。聞けば自分はイスラム教徒だが、この寺にしばしば来ると言うのである。わたしをあちこち案内し、僧侶たちと知己の間柄にあるといって知り合いのいる僧堂に連れて行き、ひとりの年配の僧侶に引き合わせてくれた。その僧侶はほんの少しタイ語をしゃべり、タイの寺にいたことがあると話した。彼は言葉が通じないと思ったのか、何かを書いて青年に渡しながら、五〇〇チャッ、五〇〇チャッとわたしに言った。わたしはお布施として五〇〇チャックれと言っているのかと思い、僧侶に五〇〇チャッ札を渡そうとすると、受け取らないばかりか、彼が持っていた自分の五〇〇チャッ札をわたしに受け取るように言った。どういう意味か理解できないまま受け取ったわけだが、タイでも二五年間そのようなことは一度もなく、生まれて初めての経験であった。ともあれ青年が自分のモスクを案内するという申し出を断り、ムスリムの信仰と仏教寺院訪問は矛盾しないのかと問うと、全く違和感はないとの答えが返ってきたのである。

これより数年前、わたしはモン州のモールミャインに旅をしたことがある。もしインドシナ半島で再び訪れたい町があるかと問われたら、わたしは躊躇なくモールミャインと答えるほどこの町が気に入ってしまった。「Mon Cultural Museum」はモン族の歴史の一端を垣間見ることのできる博物館である。わたしが訪れたその日、入館者はわたしひとりだったのでゆっくり見て回ることができたのだが、特にわたしは三つのことに驚かされたことを覚えている。一つ目は、ビルマ仏教（文化）をそっくりそのまま模倣して取り入れられたということ。二つ目は、ビルマ文字も完全にモン文字を受け継いで作られた形跡があること。両者の文字が並記されている展示を見てしかと確かめることができた。三つ目は、驚くべきことに四世紀、モンの帝国ではすでにコインが流通していて、海上交易が盛んだったことだ（出土したコインが展示されていたが立派なものであった）。これは日本の富本銭（七世紀後半）や和同開珎よりも三〇〇年以上もさかのぼるできごとである。そしてこれだけの仏教民族モンの人々が今なお仏に篤い信仰を持っていることは彼らの村を訪ねてみてはっきり知ることができた。しかしながら、このモールミャインもメイッと同じように、他民族が暮らす、多宗教の町であった。わたしはメイッの人々への質問をこの町の人々にもぶつけてみたのであるが、返ってくるのは全く同様の答えなのであった。

さらにわたしがもうひとつ驚いたことがある。

（モールミャインの）モン・バプティスト教会、
仏教寺院建築の屋根の上に立つ十字架

この狭い町にも数々の仏教寺院（中には大きなエレベーターで上がってゆく寺もある）はもちろん、巨大なイスラム教のモスク（一六〇ページの写真参照）、それにキリスト教会（バプティストが多い）、ヒンズー寺院が歩いてゆく都度どこでも目についたのであるが、「モン・バプティスト教会」という教会の境内に入ってみると、何とそこに仏教寺院が同居していたのである。その寺の屋根の頂上を眺めると、驚くべきことにキリスト教会にある十字架が立っていたのである。近くにいた女性に欧米のバプティスト教会とは違うのかと尋ねてみると、違うとの返事。講堂のような建物の中では、たくさんの信者が牧師の話を聴いていたが、まるで中学の生徒集会ででもあるかのように私語がうるさく、荘厳なる教会の雰囲気とはとても言えるものではなかった。キリスト教と仏教の融合を見たのは後にも先にもこれ以外にはない。

宗教的イデオロギーの確執と大衆ナショナリズム

さてちょうど同じ頃、わたしは中部マンダレーにも旅を重ねて行ったのであるが、この地では全く逆の宗教的局面に遭遇した。そこではひとりの仏教指導者が「マンダレーのビンラディン」と異名をとり、イスラム・ロヒンギャの殲滅を叫んで多くの支持者を得ているという噂が、われわれ異国の旅行者の耳にも届いてきたのである。もちろん、熱狂的支持者のほとんどは仏の慈悲を信じる敬虔な仏教徒であることは言うまでもない。その後、この「マンダレーのビンラディン」ことアシン・ウィラトゥなる人物は軍事政権の銃剣と相携えて、「九六九運動」なる組織を作り、反イスラムの急先鋒として宗教運動を展開して多くのムスリムを殺傷するに至る。ムスリム側の反撃でアラカン人やビルマ仏教徒が殺害される事態から、もはや仏教ナショナリズムにとどまらず、「ミャンマー愛国教会（マバタ）」などと組んで、ビルマ人仏教徒に有利な婚姻法や産児制限法を議会に成立させるなど、著しく政治的国家ナショナリズムへと変貌を遂げていった。そして現在、仏教徒の八割がこの「九六九運動」を支持するまでになり、アウンサンスーチーにさえ沈黙を守らせるに至っているとのことである。NLDも二〇一五年の総選挙で支持率がダウンするのを恐れ、イスラム教徒の候補者を降ろしたという。わたしはヤンゴンで二、三の知識を持った人にこのロヒンギャ問題を問い質してみたが、いずれも政府の方針は正しいと言い、ビルマ人は皆そう思っていると言いたげであった。これまで上座部仏教は国家権力との一体化つまり政教一致を旨としてきたが、ビルマにおいても王権時代この方、英領ビルマでも多くの聖職者が政治に口出しして、植民地権力に盾をついてきたので、反植民地闘争もこの仏教ナショナリズムを基盤にして、民族自決を闘ったのである。それゆえこの伝統は現在も衰えてはいない。

こうしたミャンマーの事態を知るに及んで、わたしがすぐにも想起したのが、コソボ紛争でのセルビア人とアルバニア人の殺し合いであった。ルーマニア国家解体劇の中で、民族戦争の煽りを食って、長く隣人として仲良く暮らしてきたキリスト教徒セルビア人とイスラム教徒アルバニア人の庶民が一夜にして殺人鬼と化し、お互い殺し合いを演じたのである。

もちろん、こうした異宗教徒間の争いが世界中いたるところで起こっているのは歴史の教えるところである。

コソボのような庶民・大衆の個人としての信仰が、一夜にして他宗教の隣人を殺害する契機とは一体何か、わたしはここで少しく考えてみたいと思う。

いかなる宗教もそれが教団エリートや知識層あるいは権力者から民衆に垂迹(すいじゃく)した時、それは必然的に世俗化した神話になる。そしてその神話を司るのは教団エリート層である。ここにイデオロギーとしての宗教ナショナリズムが成立する。しかし民衆が個人としての信仰に留まっている限り、信仰そのものはイデオロギーではないので、宗教的にナショナルな存在になりにくい。信仰が個人のレベルで行われている限り、それは個人の自由の問題であるからだ。この意味において、信仰それ自体はいかなる宗教であれ対等なので、確執を招くことは稀である。メイッもモールミャイン、ひいては世界の異なる信仰を持っている全ての市民・庶民は、互いに尊重し合って同じ地域で暮らすことができる。

しかしながら、その信者が自分の信仰する宗教の教団に組織され、その一員として宗教的に振る舞うようになった時、もはや個人としてではなく教団コミュニティのひとりとなるので、宗教イデオロギーの求める人間となってゆく。そこで異なる宗教イデオロギー同士の間に確執が生まれてくる。特にそれが民族主義や国家権力と結びついた時、必ず他宗教や自分たちの宗教に批判的な人々に向かって、排除の行動に出、争いごとに発展する。コソボのキリスト教徒とイスラム教徒やミャンマー仏教徒とイスラム教徒の争いもこのようにして起こったことである。また、カレン族が民族独立闘争の最中、味方同士であったはずのクリスチャンのスゴーカレン族と仏教徒のポウカレン族が宗教的衝突を起こし、闘争を分裂に導き弱体化させてしまったことは、宗教対立の方が民族対立に優先する例でもある。

わたしはまたこの庶民・大衆の対等な関係を支えているのは、宗教の介在しない彼らの生活意識を基盤とした思想（それが思想と呼べるならば）であると考えている。これら庶民・大衆にとって職業選択の自由は極めて制限されているので、彼らは目前にある仕事で一日一日を生きてゆく。自分の努力よりは時代や社会が強いてくる力の方が圧倒的に強いので、それに逆らわずに生きるしかない。日々繰り返す生活の範囲内での思考つまり具体性の中で生きている。要するに、小さく円環として閉じた精神世界の中で暮らして生涯を全うする存在、これが大衆の本質であり、大衆の原像である。

そしてまた彼らは土着つまり生まれた土地に対する愛着、素朴な郷土愛などを持っているが、これは本来動物の本能的習性（habitat）に由来し、それゆえそれだけ固執的で深く自然性に根ざしているので、そもそも善悪を超えている。この生まれ育った土地への愛着むしろ執着は人の意識（無意識）を惹きつけてやまない強力な磁場であり、観念の最後のよりどころである。そこでの彼らの生活自体も極めて自然過程に近い。わたしはここから生まれる彼らのいわば生活思想を大衆ナショナリズムと呼んでいるが、それが自然（土着）性に依拠しているだけイデオロギー化しにくい性質を備えていると考える。それゆえ、この大衆ナショナリズムは国家、民族、宗教を超えてそこで暮らす大衆にとっては自然過程に近いぶん、普遍的であり、対等であり、その限りにおいてインターナショナリズムに通じるものでもあろう。

それに引き換え、知識人や為政者や軍人の唱えるナショナリズムは一様に観念として生み出されてくるゆえ、それは必然的にイデオロギーとして働くのである。また唱える人間の個人的営為ゆえにその内容は、その時々の情況の中で実現しようとするナショナルな主義・主張によって、民族主義、（超）国家主義、愛国主義、国粋主義、排外主義、土着主義、ｅｔｃ．のようにバラエティを持つことになり、それが観念なるがゆえにまた変化しやすい性格を備えているともいえる。国家ナショナリズムは様々な形態のイデオロギーとして発現するので、他民族・他国家のイデーとしてのナショナリズムとの差異が互いを排斥し、敵対的になりやすい原因をつくるのである。したがって、植民地における民族独立運動としてのナショナリズムであろうと、また他民族・他国家への侵略としての国家的ナショナリズムであろうと、ナショナリズムとしての理念に違いはないので、ひと度ナショナルな国家が樹立されれば、他民族抑圧に向かうのは避けられない。

このような観点から再度ミャンマーの政治的・宗教的現状に目を向けてみると、上座部仏教の宗教ナショナリズムのイデオロギーが国家の民族主義ナショナリズムのイデオロギーと一体化して、著しく政治化していると見なすことができよう。イデーとしての国家ナショナリズム（民族主義）と教団エリート（知識人）ナショナリズムが相携えてイデオロギーとして垂りてきた時、両者がともに共同の幻想として機能するので、ミャンマーの庶民・大衆の自然的で、土着性の強いナショナリズムは、この両ナショナリズムの狭間で強く影響を蒙り、その生活思想を絡めとられ、あわせ持っていたインターナショナリズムもファッショナブルな存在と化してしまうというのがわたしの認識である。「個」の意識の脆弱なミャンマーでは、信仰する個人は初めは自分を支えるために求めた信仰ではあっても、国家あるいは宗教の中では共同体意識に自己を埋没させてゆく。メイッやモールミャインの宗教を越えた市民コミュニティがいつまたコソボの轍を踏んで宗教的いがみ合いに発展してしまうか危惧されるのである。そのことのゆえに、大衆（民衆）ナショナリズムは外からいかなるイデオロギー注入も受け入れない地盤を自らの生活思想の中に築くより外にはないのではなかろうか。いずれにしても、このような対立の構造がミャンマーの近代化（民主主義）を阻む大きな足かせになっていることは考えるまでもないであろう。

ミャンマー人のアニミズムとナッ神信仰

わたしはかつて、「今日のミャンマー人の精神世界（アイデンティティ）は特に庶民・大衆を中心に、伝統的アニミズムとパーリー語の言語範疇によって成立した原始仏教経典にルーツをもつ上座部仏教が共時的に併存し、その上にイギリス植民地時代以降の西欧近代意識が都市の知識人層を中心に覆い被さる重層的な構造の上に形成されているとそれを大雑把に把握することができる。」と書いたことがある。

実際歩いてミャンマー人と接してみると、そのことを実感することが多々あるように思われる。初めてシェダゴンパゴダを訪れ見学していた時である。ひとりの中年の男が話しかけてきて、自分はシャン族で高校の数学教師をしていると自己紹介したかと思うと、いきなりあなたの誕生日が何曜日か当ててやるから生年月日を教えよと言ってきた。それを伝えると、ややあってそれは金曜日だと教えてくれたが、どうやらこれはミャンマーアニミズムにルーツをもつ誕生日占いのひとつであった。ヤンゴンの街中では、手相占いや星占いなど多くの占い師が小さなボックスで商売し、けっこう繁盛しているものだ。

そもそもアニミズムとは人類がヒトの段階から人間へと進化を遂げた時点で、最初に受けた精神的洗礼にそのルーツを持っている。意識や観念がまだ生まれて間もないおぼろげな時代に、地球上に出現した全人類が共通して体験した心的現象である。初期人類にひとたび人間としての意識や表象が生まれるや、彼らはそのまさに生まれたばかりの観念のなせるわざで、観念の出現そのものに戸惑い、戦き（おのの）、恐れたに違いない。それに続いた未開社会の原始の心性も観念を対象化することなど不可能であり、観念が自然性に勝っていたので、初めて自然を恐れ敬う心的状況が出現した。そしてこの観念を人間がなんとか自然と折り合いをつけようとして生まれてきたのがアニミズムであるとわたしは考える。それゆえ、アニミズムは宗教ではなく土着信仰と言われてきたが、恐らく信仰とも呼べないもっと人間の奥の身の底に深く染み込んだものともいえるに違いない。この考えに立てば、現在地球上に存在するあらゆる人類の心的状況も大なり小なりいまだこのアニミズムから自由ではない。小は近・現代の西欧の精神から大は地球上に点として残る未開社会（アマゾン原住民など）の心性に至るまで、アニミズム的心性がいまだ宿っている（人はどうして原始林の中にひとり佇んだ時不安を覚えるのであろうか）。

ミャンマー人のアニミズムはこの大から小へ至るレベルの中間あたりに位置していると考えられないであろうか。西欧諸国にもわたしたち日本にも、手相占い、誕生日占い、星占いにトランプ占い…ぐらいはあるが、例外を除いて、呪術師や祈祷師はいない。わたしたちは神社のおみくじをなかば迷信としつつ吉が出れば喜ぶ心を持っている。しかしミャンマーでは、必ずしも迷信ではなく、人々の心の中にこのシャーマニズムは生きているし、それゆえ生活の隅々にこれが浸透していて、彼らの精神に深く影響を与えている。呪術師も祈祷師も立派に庶民・大衆にありがたがられている。こうしてアニミズムが現世的利益としっかり結びついているのである。

ミャンマーの「ナッ神」信仰は、土着的民間信仰であったものが、いつかそれを越えて全国に共通する精霊信仰の趣を示している。ナッの神の名づけられた三七神が仏像と同じように具体的な像として定着し、ミャンマー人全体に共通した認識となっているのは、多分政治的権力が介在して何らか統治の道具にする意図があったことを偲ばせる。わたしもあちこちの町にある精霊の祠の中でこれらの像を実見している。こうしてミャンマー人の多くは今もこの精霊を精神の奥底に無意識として秘めていて、それが彼らの文化の基層を形成しているのである。

アニミズムは様々の精霊（善い精霊、悪い精霊とも）に「祈り」を捧げて、人間の能力ではかなわない望みをかなえてもらうのであるが、そこに通底しているのは結局生の不安である。その不安を解消し、獲得されてしまった意識・観念そして精神の安定を得るために人は祈るのである。かくして不安は意識・観念を獲得した人間の最大のアポリアとなった。

世界のあらゆる宗教は当初人間個人の頭の中に宿った考えではあるが、それが人々の間に普及するに当たっては、このアニミズムの信仰体系と折り合いをつけて、自らの教義の中にそれを取り入れる以外成立することができなかった。彼らは人間の精霊への祈りを巧みに特殊な神への祈りに変えたのである。仏教ももちろんその例外であるわけではなく、われわれの国の本地垂迹・神仏習合を俟つまでもなく、ミャンマーの場合もバガン朝の上からの仏教導入が精霊信仰に明け暮れていた庶民・大衆の間に普及していくには精霊と仏との混淆、折り合いが不可欠であったと考えられる。そのうち特に融合の契機となったのが祈りであったと想像されるのである。ビルマの人々が精霊（神）に祈りを捧げる同じ次元で、信仰・帰依して仏に祈りを捧げ、仏教教団に精神も委ねるまでには支配権力と教団エリートのたゆまぬ教化・布教を必要としたであろう。

そうして今日、上座部（テラワーダ）仏教という宗教がビルマ人の精神的アイデンティティに多大の影響を与えていることはよく人の知るところである。そこで上座部仏教の思想とはいかなる教えなのかを少し考えてみたいのである。

テラワーダ仏教の戒律とミャンマー人の精神

同じ仏教の大乗仏教とは異なり、この仏教は自己の修行のみが自分を救うことができるという徹底した自立救済の教えである。むろんこれは開祖の釈迦の解脱・涅槃（ねはん）に至る修行の方法を忠実に守って実行することになるので、しかるべき場所でひとり修行することが必須となる。普通は出家して寺院に入って比丘（びく）（僧）となり、戒律その他の規律を厳守して日々ひたすら修行に邁進する。一方、出家をせず、世俗の生活をしながら仏を信仰する人々は在家信徒となり、修行に明け暮れする比丘が修行に専念できるように生活面その他を支えてゆく。彼らはお布施や寄進をして比丘が修行で得た功徳に与かることによって、少しでも仏に近づこうとするのである。三〇年ほど前タイを訪れた時、タイ人の心性を理解するには、この修行者にタンブン（喜捨）をありがたく受け取ってもらい、少しでも徳に与かりたいという彼らの心を知る必要があるとわたしは実感したのである。その思いは、カンボジアやラオス、そしてミャンマーへ出かけて行って少しも変わることはなかった。われわれの心の世界では、食べ物その他の生活用品を貰う僧侶の方こそお礼を言わねばならないが、上座部仏教の世界ではあくまで物をあげる方の人々が僧侶に感謝の意を捧げねばならない道理となっている。修行に没頭し、救済される人は尊敬すべき偉い人であり、それができない人あるいはしない人は自己を救うことのできないより劣る人であるとする、このエリート的ヒエラルキーこそは上座部仏教を強く支持している精神構造である。

そこで比丘（僧）の修行に少しだけ立ち入ってみたいという思いにかられる。

彼らが守らねばならない二二七の戒律のうち、特に重要視される八斎戒というのがある。

①不邪淫戒　②不殺生戒　③不偸盗戒　④不妄語戒　⑤不飲酒戒（ここまでが五戒）⑥ゆったりした寝具に寝ない　⑦装身具をつけず、歌舞を観ない　⑧昼過ぎに食事をとらない。

最も修行を妨げるのはなんといっても性的所業になるので、単に女性に触れることのみならず、想像して自ら精液を漏らすことも重い処罰の対象になる。そしてどんな生きものも殺生してはならず、野に咲く花すら手折ってはならない。わたしは生物学を学んだ者としてあえて言いたいが、それでは彼らは何を食としているのであろうか。元をただしてゆけば、全て生きものに行きつくはずだ。菜食主義者の言う動物は食べないが、植物なら食べてもよいというのは、それこそ牽強付会というべきだ。植物とてれっきとした生きものである。生きものを食べて命をつなぐことは生きとし生けるものの宿命である。絶対的自己矛盾である。さらに言えば、所有することが禁止されているので、食を在家の人に負うというのも、自立救済を掲げているのである以上自家撞着、それ自体が修行になるのであるから、食といえども他人に頼らず自ら賄うのが筋というものではないのか。

さてさて今度は、「不妄語戒」とはどんな戒なのであろうか。

俗な理解でゆけば、「嘘をついてはならない」ぐらいで納得されるところであろう。しかし、わたしがタイで初めてこの五戒を知った時、解説に「悟りを得ていないのに悟りに到達したなどと言ってはいけない」とあったので、これは一体どういうことなのかと考え込んでしまった覚えがある。ミャンマー仏教には、別に「三つの悪魔」として、欲望（Greed）、怒り（Anger）、妄想（Delusion）を心から追い出さなければならないとする教えがあるが、ここにも「妄想」が悪魔と位置づけされている。恐らく、原始仏教まで遡ってみれば、「修行する比丘が禅定や解脱などの善法を知らないのに知っていると虚言妄語をしてはならない」、これはつまり釈迦の言説や実践以外のことをしてはならないと言い換えることができる戒律であろう。すなわち自由にものごとを考えてはいけないのである。それゆえに、これを犯すことは上人法戒と言って、これを犯した比丘は僧籍を剥奪され、生涯教団から追放されるという極刑を与えられるのである。すでに承知のように、上座部（テラワーダ）仏教では、釈迦の教えを少しでも逸脱することは、このように絶対してはならないことになっている。それをした瞬間から破門が待っているのだ。つまり修行中、自分が新しく得た着想や確信を抱くことが禁止されているので、思考や想念は邪心の証となる。「テラワーダ」とは「長老の教え」という意味だそうだから、釈迦を体現した上座の長老が弟子たちに教本を通じず、直(じか)に口伝で説くことが代々行われてきたゆえんである。ここが大乗仏教とは大きく異なった特徴である。

ともあれ、むろんこの「不妄語戒」は修行する比丘に適用される戒であり、在家の人々に垂りた時、それは「嘘をついてはならぬ」という意まで俗化されている。とはいえ、自由に自分の考えを言ったり、行ったりすることが善き行ないとは言えない、全ては仏さまに照らしてという「しばり」が生活規範として庶民・大衆の心を律しているのが窺えてくるのである。こうした教団エリート層から一方的に庶民・大衆へ垂りてくるというヒエラルキーの中で、ミャンマー人の精神世界（アイデンティティ）が近代思想（民主主義もそのひとつ）と接触した時に起こる軋轢はいかなるものであろうか。いずれにしても、少なくとも彼らの信仰・心情が外来の近代主義の考えに生活レベルまでなじむには、短い時間では済まないであろうというのがわたしのいつわらざる管見である。思い返してみれば、近代政治が政治と宗教を切り離すことから出発し、民主主義の諸制度を確立して現在に至っているそのことのゆえに、近代民主主義政治を掲げる多くの国の憲法の条文に、個人の信仰の自由は謳われてはいても、宗教の自由は謳われてはいないということをわれわれはしかと心に銘記すべきではないか。ミャンマーの現政治体制がこの点で、上座部仏教という宗教をそのふところに抱え込んで、それとの親密な連携の下に維持されている限り、近代民主主義政治の実現には程遠いと言っても過言ではないと思われるのである。

遥かなる近代国家への道

ヨーロッパの国々におけるナショナリズムの形成、特にフランスを例にあげれば、フランス革命その他の市民革命より共和制が成立して以後、言語などの統一を基に国家意識が発揚してナショナルな国民国家が形成されたが、同時に市民意識（自由、平等、博愛、人権等）が国家・社会の基盤を支え、民主主義的政治理念が現実の政治に定着した。

一方、ミャンマーでは民族自決のナショナリズムの下、イギリス植民地支配と闘い独立主権国家を獲得した結果、ナショナリズムの理念を残したまま国家の運営を余儀なくされた。そのことのゆえに、このナショナリズムはもはや他国（イギリス）には向かわず、連邦内の他民族抑圧へと向かったのである。

他方、庶民・大衆にしても、市民意識の芽生える間もなく、自動的にいつの間にか「国民」にされてしまった観があったと言えよう。国家主義的ナショナリズムとは異なる自然過程に依拠する生活思想を基底に成立している大衆ナショナリズムは、精霊信仰や上座部仏教という宗教性の中に自己の精神（アイデンティティ）をゆだね、安定した心のありかを求めている。つまり、そのような大衆心理の中に、必ずしも「市民」となって近代意識を求める契機を認めることはできない情況が存在しているのである。

現下の政治体制にしても、軍部の為政者は相変わらずクロニー政治に終始し、ＮＬＤ（アウンサンスーチー）政権も資質や品行といった徳を持った人物が政治家になれば政治はうまくゆくといった人格主義的思考に留まって、共に前近代的意識で政治を実行している限り、近代民主主義政治の実現は難しいと言わざるを得ない。近代政治は何よりも社会科学的視座を必要とするのである。

こうしたことをふまえて言えば、現下のミャンマー政権の政治体制は過渡期の政治過程を歩んでいると考えてもあながち間違いとは言えないと思われるのである。

Ⅱ　ミャンマー現代文学に寄せて

ここ数年、少しくミャンマーに出かけ、個人的な関心だけで、足で歩きまわって来たわたしである。また一方、ミャンマーに関する書物に手近なところで接する範囲で目にもしてみた。そんな訳で偶然手に取ることのできたミャンマーの現代文学をしばし読む機会をもったのである。

したがって、これから書こうとするミャンマーの現代小説について、高々数冊を読んだにすぎず、しかもミャンマーを代表する作家や現代を象徴する作品を選んだ訳でもなく、ただ目に触れたにすぎない場当たりの選択で翻訳本を味わったというはなはだ無責任な動機から感想を認(したた)めるにすぎないことをはじめに断っておかなければならない。要するに、素人の批評方法で専門家の辺縁を歩いてみたいと思ったまでである。

ミャンマーという国の「アジア的」概念

今日、わたしたちが東南アジア（日本から見れば東南ではなく西南である）と呼ばれる国々の社会を考えようとする時、それを「アジア的」という概念の枠組みで括ってみることは、現在でも有効な手段と思われるし、また意義のある方法と考えることができる。それは一方で「西欧的」というパラレルな概念が成立するから、それとの対比において意味をもち、他方また歴史的方向性の問題としても意義を有しているのである。つまり東南アジアの社会が自ら発展を遂げるため、どのように西欧近代を取り込むことができたのかを検証し、それを指標にその国を評価するといった考え方が定着しているのではあるまいか。

もとより「アジア的」と言ったところで、国や民族によってその中身は様々異なっているし、近代化（西欧化）の程度・段階にしても同様ではない。日本のように、すでに西欧的近代化をかなりな程度に成し遂げてしまい、それを踏まえてこれからどのような社会を求めていくのかといった課題を抱く国もあれば、いまだ文字通りアジア的停滞のまま、その中に意識的に西欧近代の芽を育てていこうとしている国も多い。とりわけ政治・経済の分野でその傾向は著しい。文化的側面ではその国・民族の伝統的・土着的要素とヨーロッパ近代の文化との葛藤と融合に直面している。いずれにしても、近・現代の東南アジアが西欧化の影響から逃れることは不可能のように思われるのである。

ところで、「アジア的」という概念の意味内容はこれまで様々に論じられてきているが、ことミャンマーという国に当てはまる「アジア的」概念をわたしたちはどのように理解したらよいのであろうか。わたしたちは、この国も他の東南アジアの国々同様、古くからインド化つまりヒンズーイズムの影響が色濃く、その影響の最後の段階で取り入れられたテラワーダ（南方上座部）仏教が人々の心の中に今も深く宿し、それが在来の集合的無意識としてのアニミズムを覆ってきていて今日に及んでいると先ずは考えてよいのではあるまいか。そしてさらに、主として知識人を中心に自覚的に取り込まれた西欧近代意識があり、これら三者が通時的にではなく共時的に重層をなして現在のミャンマー文化及びミャンマー人の精神構造を規定しているように思われるのである。

『漁師』

さて、わたしがたまたま読んだ文学作品は、全二〇章からなるオムニバス形式の小説『漁師』（チェニイ、河東田静雄訳）、ミャンマーを代表する作家の短編を集めた『テインペーミン短編集』（テインペーミン、南田みどり訳）、現在活躍中の女流作家二一人の一人一作集『ミャンマー現代女性短編集』（南田みどり訳）、そして地方の庶民の暮らしを描いた『買い物かご』（キンキントゥー、斎藤綾子訳）の四冊で、いずれも大同生命国際文化基金より出版された本である。

最初に読んだ小説でもあり、またミャンマーの「アジア的」を最も感じさせる内容でもあるので、この『漁師』一作から感想を書き始めてゆきたいと思う。

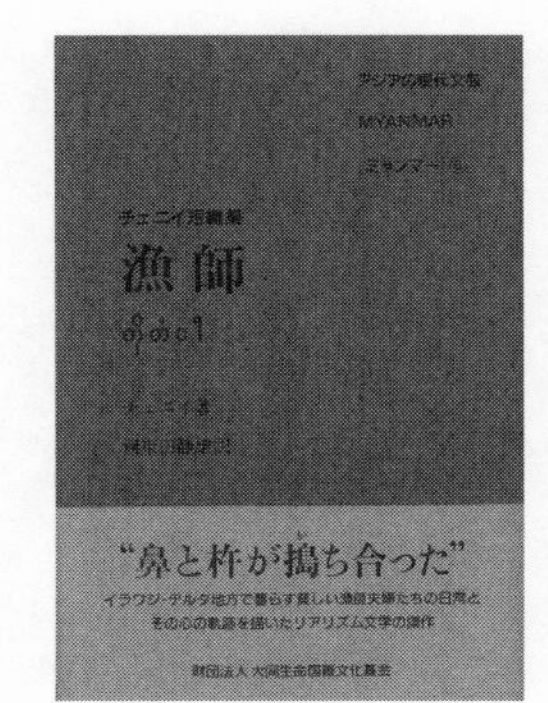

舞台となるのは、それこそ網の目のように入り組んだ川や湖が錯綜するエーヤワディー（イラワジ）デルタの一漁村である。戸数三〇〇ばかりの村民のほとんどは漁業で暮らしを立てている。この作品が雑誌に発表されたのが一九五〇〜一九五五年とあることから、恐らく内容は当時のミャンマーの現実を反映し、エーヤワディーデルタの漁民の生活をオーバーラップさせて描かれたものと考えてさしつかえないのではあるまいか。

主人公ダァウンセインは三三歳、学校に通ったことはなく、貧しい漁師で女房と幼い三人の子供を抱えてあばら屋に住んでいる。とにかく魚を獲らなければ生きてゆけないので、毎日漁に出てゆく。自由に魚が獲れればよいが、漁場は利権の持主に管理されていて、それを犯せば罰せられるので、ワイロか密漁の二者択一しか許されていない。密漁をするにはするが、見つかれば生活の破滅につながるので、いきおいワイロに頼らざるを得なくなる。そのワイロがまた網の目のように錯綜する。

湖の監察官にワイロを払って漁をする。それが監督省庁の役人にバレたら、それを糊塗するために、監察官は漁師一人を犠牲にして逮捕し裁判所へつき出す。もし罰金が科されると漁師に代わって払ってやり、身元引受人となってその漁師を放免してやる。このシステムで漁師の方も安心して漁ができる仕組みになっている。

ワイロを渡さないとどうなるか。今度は逆に、監察官が漁師を捕えて裁判所へつき出し、助けるどころか罰金を払わせるのだ。払えなければ刑務所送りになる。ここに至って、ワイロの払えない漁師は密漁以外の方途はないので、貧しい漁師仲間と結束して密漁をする。逃げおおせないと捕まる。益々金がなくなり窮地に陥る。

村長は湯水のごとく金をばらまいて、湖の監察官、群長、県知事に顔を売っている。そのつてで湖の入漁権をほしいままにしている。

さてお次は町長だ。こちらも漁師が入漁権の競売に参加する時、ワイロを受け取り私腹を肥やす。

このように、ここの世界はワイロが人と人とをスムーズにつなぐ一種潤滑油の役割りを担っているので、最終的には常にマイナスのくじを引かされるのは漁師にもかかわらず、彼らにとってワイロを渡すことは、損か得かの話であり、良いか悪いかの話ではない。こうした人間関係の上に、保守的、伝統的な制度や道徳がこの村に覆いかぶさって堅固な秩序を形成している。

主人公ダァウンセインはここの村人たち同様、精霊のナッ神の信仰を、求めて得るという形ではなく、生まれた初めからいわば無意識の形態で心の底にごく自然に保持している極めて因習的な心の持主である。結婚できるのはナッ神が嫁にくれるからと考えていたり、子供が病気になったり、家族に災いをもたらすのは先祖のナッ神の祟りだと単純に信じている。

一方の女房もこれまた亭主以上に因循な精神構造の女である。加えて性格は至って強く、娘時代求愛してきたダァウンセインに向かって「野垂れ死にのろくでなし」などと返事をするが、これがなんと「あたし、あなたを愛しています。だから……、あなたの求愛を受け入れました」と全く正反対の意味の表明だったり、「ふん……、このっ、死に損ないのろくでなし。墓に片足突っ込んでいるくせして、病気の子供みたいな真似をしないでよっ」なんてしょっちゅう亭主に悪態をついたりしているカカア殿下ぶりである。とはいえ空威張りのカカア殿下ではなく、気弱な亭主になり代わり、他家に漁の網を借りに行ったり、金の工面をしたり、下卑た言葉で喧嘩をして世間様に向かって亭主の顔を立ててやる。そして家事にもいそしみ、夜は夜で亭主を慰め、漁の現場ではシンドイ手伝いもする。貧乏所帯をやり繰りして漁で疲れて帰って来る亭主には酒まで買っておくしっかり者の世話女房でもある。ダァウンセインの方もそんな女房と喧嘩はするものの、一方ですっかり信頼して何でも任せてしまうほど微笑ましくも仲の良い夫婦生活を送っている。

村人の生活は当然ながらおおむね自然の摂理に従って営まれている。人々の「時刻」という観念は薄く、生活に密着した時間だけが流れている。朝の六時は「太陽出初め」と呼ぶのをはじめ、八時は「太陽サトウヤシの梢」、一〇時「托鉢帰る」、一二時「太陽真上」、午後四時「太陽牙折れる」など太陽のうつろいに時間を感じるだけである。夜はまた、六時「鶏止まり木に止まる」、八時「子供寝静まる」、一〇時「年寄り頭を垂れる」、一一時「若者帰る」、深夜三時「一番鶏鳴く」といった調子なのだ。月の動きもまた生活の指標になる。小説の各章の書き出しは、「トォーダリィン月」（ミャンマー暦の六月、太陽暦の九月）のように、太陰暦で説明され、村人は地動説には縁遠く、心の天動説に従っている。主人公ダァウンセインも漁師であることから、月の満ち欠けに漁が依存していて、新月の真っ暗闇の中、夜間活動する魚を追い求めたり密漁したりしている。

さてわたしたちはここで改めて「アジア的」概念のミャンマー版とは何かをこの小説を通して眺めてみたいと思うのである。それを考えるに当たって好個の材料を提供してくれるのが、第一一章「ナッ祭」である。またこの小説を小説たらしめている章でもある。

第一〇章「雨季の終わり」で、コレラに罹った息子二人を助けようと、ダァウンセインと女房は民間の治療師、漢方医、星占い師（呪術師）などに頼るのだが、その甲斐もなく息子たちは死んでしまう。それでも息子たちはコレラが原因で死んだのではなく、先祖のナッ神（精霊）を蔑ろにした結果の祟りだと考える。「パゴーナッ」というナッ神が子供を食い殺してしまったのだと信じている。そこでナッ神の祟りを鎮め、残された自分たち夫婦と二人の子供（その後また一人生まれていた）を祟りで食い殺されないように、ナッ神を祀って願掛けをしようと、多額の費用をかけて「ナッ祭」をとり行なうことを決意する。

まず、ナッ祭の舞台を家の近くに造ると、これに参加する人々が村中から集まって来る。それとは別に仏教の修行僧（若いが仏教の経典試験を優秀な成績で合格し、仏典に通暁していて、村人の尊崇を一身に集めている）と以前にもしばしば登場して貧しい漁民を啓蒙している若い図書館の司書（村の進歩的知識人）もやって来る。要するに、作者はここに三者つまり精霊信仰を信じる主人公（村民）、仏教的世界観の修行僧、そして西欧近代の合理主義を正しいと考える司書を配することによって、ミャンマーの庶民・大衆の精神のあり様を描こうとするのである。そしてここにわたしたちもまたミャンマーの「アジア的」象徴を認めることができる。それを知るには、登場人物の言葉を引用するのが一番なので、長きにわたって恐縮ではあるがそれを追ってみたい。

先陣を切って、修行僧が仏典に則り、これでもかこれでもかとナッ神に対して批判の矢を浴びせかけ、ナッ神信仰がいかに人心を惑わすものかということを諄々と述べ諭す。彼は人々を「愚かで知恵のない人」（主人公とその周辺の人々）と「仏の教えを信じ、知恵のある人々」に分別する。そしてナッ神こそ外道なのだ！と徹底的に批判する。「あなた方は、仏教徒とはいっていても、それは名ばかりで、実は、地獄界、畜生界、餓鬼界、阿修羅界などに堕ちる外道の輩にほかならないのではないでしょうか」、「死後、必ずナッの国に行き、ナッになると信じているため、ナッの祠をつくり、ナッを崇め奉り、ナッ神信仰に夢中になっている愚か者」、「三宝（仏・法・僧）をうやまわないで、布施や布薩日の勤めを行わないのはけしからん」と迷妄を信じるダァウンセインたちに説教する。この激しい言葉を聞いていた村人一同、彼の言うことはその通りだと思ってしまう。

次に図書館の司書が持論をぶつ。彼も初めは仏教僧に同調してそれに劣らずナッ神信仰を悪しざまにけなす。しかし彼の場合は、迷信に溺れている人たちをただけなすだけではなく脱出する方途も同時に説く。「あなたたちが古い因習にとらわれ、ナッを信仰するような無知な状態はあなたたちのせいではなく、支配者によって無知のままにされているだけ」だとナロードニキ的啓蒙を続ける。「その封建文化の下で貧しいどん底の暮らしをしなければならないあなたたちに、真実を覆い隠し、先祖代々信仰してきたナッとか、なんのナッとか、かんのナッとかにだけ頼って生きるようにしむけているのです。……しかし、時代の進歩を誰も遮ることはできないのですよ。新しい時代の環境に揺り起こされ、あなたたち自身が自然に目覚めることでしょう。国民が国の主人である時代には、国民のためになる新しい教育制度があなたたちのところへも普及してきて、あなたたちの心の底にこびりついている昔ながらの因習、迷信を根こそぎ払ってくれる日が、いつかきっと来ることでしょう。今、僕らが知ったかぶりをして、いくら説き諭しても、〝水牛のそばで竪琴を奏でる〟という諺のように、全く無駄なことなのです」と言い残し、修行僧共々諦めてその場を去ってゆく。

この場合の「封建文化」や「封建的経済制度」が主人公たち貧しき人々を苦しめている元凶だという言い方は、ミャンマーの歴史――この国の歴史を通覧してみれば分かるように、いわゆる封建時代はなかったと考えられることから、いささか場違いの教条主義的説教とうつるのだが、それでも彼の説く内容に村人が異を唱えることはできるはずもなかった。

さて問題はその後なのだ。修行僧と司書が帰ってしまうと、彼らの話を聞いていた時には、一時的にその説教をもっともだと同調していた主人公をはじめナッ祭に集まっていた人たちも皆、その二人の言ったことなぞもうすっかり忘れて、ナッ祭を始めようと動くのである。主人公のダァウンセインも、「このナッ祭の元締めの男や、舞台の上の祭壇のナッ神体などを見やりながら、サイン・ワインが奏でるナッ祭の賑やかな音楽に聴き入っていると、自分の心が震え、戦き、怖いような、急に悲しくなってくるような妙な気分になり、得体のしれない複雑な感情に襲われてくるのを知った。」というように、ナッ祭にのめり込んでいくのである。

祭が催行され、「バゴーの夫婦」と呼ばれる村の七組の夫婦の女房七人がナッ神に憑かせられようとするが失敗する。その憑かせようとしたドー・カリィーサという名の女（ナッ祭があると呼ばれてよく憑く女）が「ナンカヤイン大女神」に憑いて、主人公のダァウンセイン夫婦を怒鳴りつける。「あたしのことを覚えているのかえっ、これっ、お前ら二人は結婚してから、子供四人ももうけたにもかかわらず、あたしに知らんふりをしてきたではないか。今、お前の子供二人をあたしが捕まえて食い殺しちまったら、お前ら、やっとあたしのことを思い出したのではないのかえっ、これっ……」

それから次々とナッ神にとり憑かれた人たちが踊れや、跳ねるや、食えやとやかましいほどに騒ぐ。そうして全てのナッ神の儀式が無事終了し、主人公ダァウンセインは自ら次のように考える。「何ひとつ思い望み、願うことをしないでなるがままに生きていこう」と。

そして作者もまた最後に、この世の全ては実体をもたないものだとする仏教思想の無常観の下、次のようにこの話を締め括っている。

「ダァウンセインたちの人生の光とは、真っ暗闇の中で一瞬光を放ってすぐ消える、まさに閃光にすぎない。そのあとは暗い闇。幸せとは、大海の水面に浮かび出た泡沫にすぎず、そのあとは、苦悩と愁い。それが彼らの人生の輪廻。」

ダァウンセインのような漁をして全面的に自然を相手に生きている漁民・大衆にとって、仏教の経典の言葉や西欧近代意識を啓蒙されても、それはどちらも頭の中だけに留まるだけで、ひとたび腹の中に入ったらもう消化不良をおこしてしまう。従ってそうした教えは彼の血や肉をつくることはないのである。

ところが精霊信仰の方ははなから全身体を形成し血や肉となって、彼の生を動かす原動力になっている。『星占い秘伝全集』に則り手相占い、星占い、呪術などで吉凶を占って家を建てたり、あらゆる事を吉日に行なったり、また『現世実用博識典』に依拠してマハーギリ・ナッを家の守護神として祀って、病気や災いに対処していくことの方が日々の生活にかなっている。

さて、この小説には折に触れて、このような作者の声とおぼしき言葉が随所に挟み込まれ作者が作品の中に入り込んでくるようなスタイルが採られている。そうした一連の作者の影の言葉の中に次のような一節がある。

「二人は声を押し殺して笑った。よくも、笑えるもので、毛布も被(かぶ)れないほど貧しい自らの困窮さえ、一笑に付し、冗談で笑い飛ばしてしまうとは、驚くべき人間たちである。貧困の苦労をさえ、不埒にも笑い飛ばしてしまえる真の勇者たちを教えてくれと言われたなら、まさにダァウンセインたちのような人間たちだと教えてやるだろう。」（第二章「カエルを捕まえたら、一匹ちょうだい」）

もちろん日々の生活で打ち続く困苦や憂いを吹き飛ばすために「笑う」のである。いつの時代、どこの国においても虐(しいた)げられた民衆に共通する思いは同じである。辛い生活や人生を笑い飛ばすことによって明日のエネルギーにする。

言葉もまたその目的のために編み出される。ダァウンセインの求愛に「野垂れ死のろくでなし」と返事をした女房の言い方のように。大衆の言葉が一見して荒っぽいのはそのためなのだ。わが日本でも下町の庶民・大衆の言葉にそのような言い方がかつてはあった。その言い方に一種独特の人情も同時に合わせ感じとれる言葉が。

ここでわたしたちは、ミャンマー版「アジア的」概念とは別の問題として、改めてダァウンセインたち「庶民・大衆」とはいかなる存在なのかといった問題に直面せざるをえなくなる。

「……このゆえに明日のことを思い煩うな、明日は明日みずから思い煩わん。一日の苦労は一日にて足れり。」

新約聖書・マタイ福音書「山上の説教」のエピグラムである。こうした思い——明日のことを考えても仕方がない、あるいは明日のことを思い煩ってもどうにもならないので、苦労は今日の苦労だけに留めておこう、明日のことは明日になったらまた考え対処しよう——を抱きながら、一日一日を生きるのが大衆である。職業選択の自由などははじめから極めて制限されているので、目前の自分のできる仕事を見つけ、それをなりわいとして生きてゆく。明日（将来）の希望は抱くことは抱くが、多くは自分の努力よりは時代や社会が強いてくる力の方が圧倒的に強いので、それにさからわずに生きるしかない。意識を意識のままとどめてはおかずにそれを絶えず自然に還元する。日々繰り返す生活の範囲内での思考つまり具体性の中で生きている。要するに、小さく円環として閉じた精神世界の中で暮らして生涯を全うする存在、これが大衆の本質であり、大衆の原像である。この大衆の原像をまさに体現しているのが主人公ダァウンセインとその周縁の漁師や村人たちである。彼らは近代社会の象徴、国の法律などとはまともに接触しない。政府の役人、行政を司る知事、市長、町長、村長にはワイロという手段であるいは法を犯して漁をして自らの生活を全うするだけである。しばしば彼らの許を訪れ、ナロードニキ的啓蒙を繰り返す図書館の司書の言葉に反応するのは、永遠に頭の中だけで、そんな説得はすぐに忘却して、因習的な、土着的な精霊信仰の中に頭から足の先まで浸かって生きている。また進歩思想を啓蒙する司書にしても、頭の先端から声が出てくるだけで、首から下は支配者の形成する秩序にどっぷりと浸かっているので(ミャンマーに限らず現代でもこのような知識人が圧倒的に多い)、ダァウンセインたちの心の底まではその声は届かない。仏教的教義や僧侶の説教にしても同様で、やはり上からのイデオロギーとして垂(お)りてくるだけで、ダァウンセインのような人々の心の琴線に触れるまでには至らない。

ダァウンセインは他の漁師仲間と同様、不殺生戒を犯して魚を捕えているので負い目をもっているにはいるが、仏教の戒律の中で最も犯してはならない五戒(不殺生戒、不偸盗戒、不邪淫戒、不妄語戒、不飲酒戒)の全てを犯して生きているのである。そうして常に「この先、何一つ望み、願うことをしないで、川のような人生の流れに、両目を閉じ、なされるがままに身を委ね、漂い流されていこう」という生を生きていくのである。

せんじつめて言えば、こうした情況はなにもダァウンセインだけの問題ではなく、時代を超え、民族や国家を超えて庶民・大衆の存立のあり方である。それゆえにわたしたちは作者チェニイがどこまでこの作品の中でその主題を求めていったのかそれが気にかかるのである。前にも述べたように、作者は作品の随所で自らの考えを披瀝しているのであるが、それを読む限り作者はダァウンセインたち庶民・大衆の生のあり方に対して、仏教思想からくる諦念と図書館の司書の説く同情的な言辞、つまり近代進歩主義思想でこの小説を締め括っているように見受けられる。

「読者のみなさん、資本主義制度の邪悪な一面が少しは見えてきたでしょうか。資本とはこのように恐ろしいほどに邪悪なのです。資本とは持たざる者たちを、いつかある日、飢え死にさせるのです。そして、いつの日か、飢えに耐えかねた、持たざる者たちの蜂起や革命が必然的に発生するのです。」

作者の影の言葉であるが、ダァウンセインたちの生の状況に資本主義などはほとんど到達していないので、これらの言葉がいかに宙に浮いた場違いな言葉でしかないか、わたしならずとも感じる人は多かろう。そうした考えは、自分が貧しい人間なのは、前世のカルマが原因と考えているダァウンセインの心に届く前に、空中分解して消滅するのがオチであろう。教条的なイデオロギーで小説の主題が中途半端にあらぬ方向に流れ、結局、庶民・大衆の生が必ずしも十分深く追求されてはいないまま、この小説が終わってしまっているといった観は残念ながら否めないのである。

『テインペーミン短編集』

さて次に『テインペーミン短編集』の感想に移りたいと思う。ミャンマーの近代知識人文学の旗手、作家のテインペーミンとその作品を論評するに当たって、どんなテーマから入っていけば一番よいのであろうか。それはやはり、植民地独立運動や抗日闘

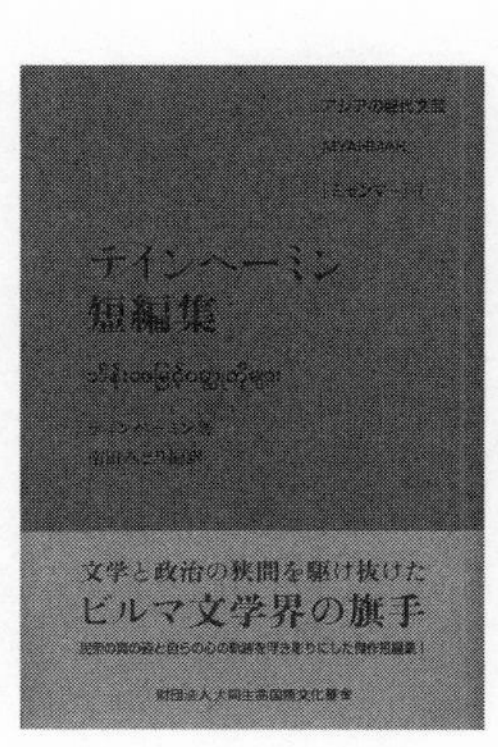

争の時代に文学的出発をせざるをえなかった宿命として、自ら政治的活動家として闘争の渦中に身を挺することを余儀なくされ、知識人文学者として政治を主題に作品を書かざるを得なかったテインペーミン（一九一四年生まれ）――いわば政治と文学というテーマから入るのが最もこの作家を浮き彫りにする方策であり、なおかつわかり易いのではあるまいか。実際彼は次のようにその文学観を語っている。

一九三八年には、作家は民族解放（独立国家の実現）に貢献する作品を書くべきだと主張しているし、一九四八年には文学の階級性を提起している（訳者南田みどり氏の解説）。この短編集の初めの三編は作者のその主張を体現した作品とみなすことができよう。

『独立すれば』（一九四八年）はまさに一九四八年一月の独立直後に執筆されたと思われるリアルタイムの作品である。

独立記念日に結婚式を挙げようと誓った若い男女の労働者、その矢先にチョーミャ（男）は工場を解雇されてしまう。それを契機に益々闘争心を掻き立てられて生きてゆこうとする。辛い日々にも未来を求めて闘ってゆく若い労働者大衆の希望の人生、作者も素直にそれを応援したいといったモチーフで描いている。これを読めば、わたしたちはすぐにもかつての日本のプロレタリア文学作品を思い起こしてしまうだろう。

『万事異常なーし！』（一九四九年）。生きることにニッチもサッチもいかなくなったエーヤワディー（イラワジ）デルタの若い農民ティッが、ダコイト（武装ギャング集団）に加わり、お決まりの刑務所入りになる。この小説の作者が政治犯として収容されているのだが、ティッは彼の世話係りを命ぜられかいがいしく働いている。その内特赦で出所できるようになり、故郷に帰ろうとしてラングーンの町をさまよい歩く。独立直後の時代、政府と共産党との戦闘、さらにカレン族の民族運動なども絡み、ラングーンの町は騒然とした空気が漂っている。作者自身共産党幹部として刑に服していた体験が下地になっている。と同時に作者の文学は階級性を持たなければならないという考え方が深く反映した作品となっている。

『裏切り者だと！』（一九五〇年）。裏切り者！、もちろん党派闘争で勝利した党派が敗北した側の党派の人間に向かって放つ悪罵の言葉である。それゆえにこのタイトルはあまりにも直截すぎる嫌いのあるものだが、敗北者になった作者の怨念の叫びにも聞こえてくる。

かつて抗日革命当時、赤色村と呼ばれたエーヤワディージデルタのある村に、共産党（白色共産党）から内戦回避和平統一路線を日和見主義者だと批判され、党を除名された主人公が訪れる。そこで偶然かつての同志ニュンセインに遭遇する。ところがこの男も同じように党の指導に批判を加えた廉（かど）で農民同盟書記長を解任されていた。村の党を指導に来た共産軍将校のイエーナインが武装して〝階級敵殲滅闘争〟を展開するのに反対したからだ。さらに悪いことには妻のラシンがイエーナインの部下になり、夫の自分を批判するようになってしまい、愛想（あいそ）を尽かされてしまったことだ。挙句の果てに、二人はそれぞれわが道を行くように別れてしまう。その後主人公はニュンセインが政府軍にも国家反逆罪として告訴されてしまうという結末を知ることになる。

この時代、いずこの国の、いずこの党派争いも似たり寄ったりの中で、敗北した党派の落魄が、闘いを挑んだ植民地宗主国や権力を獲得した現政治体制側からの弾圧によるのではなく、共に闘った側の党派の内部からもたらされたことも、これまたいずこの党派争いに共通した出来事であったそのことこそが最大のアポリア以外の何ものでもなかった。

一九五〇年の発表ということは独立後の政治党派の熾烈な争いの渦中に身を置く作者自身のまさに生身の現実を反映した作品といえよう。文学が政治と離れた地点では成り立たない情況が存在している。この作品の主人公（作者の投影）もひとりの知識人として革命に参加して、党派争いに敗れて裏切り者になってゆき、最後は不条理にも配所の月を仰ぐ身になってゆくのであろうか。

ロシア革命、中国共産革命、そしてわが日本の左翼闘争につきもののいわば党派争いの縮図をみる思いがわたしにはしてくる。党派!! 一九四八年の独立宣言以後の党派の分裂、権力争いが当時のミャンマーでもいかに激しく展開されていたかが窺い知れる政治小説である。この短編はそうした意味で、ミャンマー植民地闘争や抗日運動を記した歴史書よりも具体的に、身近に独立直後の党派（権力）争いがいかに熾烈なものだったかをわたしたち読者に想像させてくれ、鮮明にしてくれる。

ところで、わたしたちはこの辺りでテインペーミンの初期文学観、すでに述べた民族解放や階級性（労働者階級や虐げられた民衆）を作家は主題として描かなければならない、という思想について少し言及したい思いにかられるのである。

それは言うまでもなく、わたしたちに社会主義リアリズムというかつてのソ連にルーツを求めることができる芸術理論をいやがうえにも想起させるものだ。労働者階級や人民大衆に奉仕するための文学という理念とその価値観がマルクス主義芸術理論という名の下に産み落とされたのである。それが時あたかも労働運動、民族解放（独立）闘争、そして社会主義革命を推進する全世界の人々に多大の影響を与えることになった。まさに、一つの妖怪が世界を歩きまわっている——社会主義リアリズムという妖怪が、であった。

今では旧ソ連のマルクス主義という思想とイデオロギーはスターリン主義と呼ばれた一種独特のソ連版マルクス主義と理解されているが、政治に限らず、文化の面でもつまり社会主義リアリズムもソ連版マルクス主義の旗の下に産み落とされたものにすぎない。本家本元のカール・マルクスの思想とは縁もゆかりもない代物である。マルクスは、文学や芸術がプロレタリア階級のために存在しなければならないなぞとはどこにも言ってはいない。ヘーゲル左派で自身もその時代詩人として出発しているマルクスがそのようなことを言うはずがない。

言うまでもないが、わたしたちの国の戦前のプロレタリア文学もこのソ連版社会主義芸術理論に深く影響を蒙っている。政治が文化の領域に我が物顔で君臨していた訳である。敗戦を境に文学者の戦争責任論と同時にいわゆる「政治と文学」論争が喧しく言い争われた時代をわたしたちは経験した。問題を単純化してしまえば、政治の世界が文学の世界よりも広いという考えが覆されて、逆に文学の空間は政治を覆ってしまうほど広いという立場が主流になったと言ってもよかろう。このどんでん返しこそ目からウロコ、文学的アイロニーの何ものでもなかった。それが今日のわたしたちの時代の文学的認識でもある。文学はあらゆる事柄を主題にして人間を探求する。その一環として文学者が政治の舞台に文学としての主題を求めるのである。

再びテインペーミン。彼もまた社会主義リアリズムという芸術理念の洗礼を一身に浴びてその文学的営為を出発しなければならなかった文学者である。植民地独立闘争や抗日運動の政治的実践を行なう若き日々に、自らの思想を形成しなければならない春秋に富んだ一知識人が社会主義リアリズムの理念に影響を受け、民族や階級や人民に貢献する文学を書かなければならないと考えたとしても、何ら不思議はない。政治と文学を課題とせざるを得なかったのはある意味必然的ともいえよう。このことはテインペーミンのみならず、植民地独立闘争や抗日運動を戦う他の東南アジアの国々の作家や思想家も同様であったであろう（やや時代は下るが、タイの優れた思想家チット・プーミサックも若き時代、社会主義リアリズムの影響の濃い詩をたくさん書いている）。

恐らくテインペーミンは、政治的に他のアジアの植民地独立闘争や抗日運動やコミュニズムの運動に大きな影響を受けているに違いない。ヴェトナムの独立闘争や中国の毛沢東の抗日運動あるいはロシア革命などである。そして文学的にはソ連の社会主義リアリズムとそのイデオロギーに一番多く影響を蒙っている。そしてこれらの闘争を戦う過程で、敵国イギリスをはじめとするヨーロッパ近代主義を思想として取り込まなければならなかったところに知識人テインペーミンの苦悩と希望もまたあったのだと言えよう。わたしとしてはまたこのテインペーミンの背中に「アジア的」概念のミャンマー版を見る思いがするのである。

テインペーミンはこれらの政治闘争の後、もはや政治の場に文学としての主題を求める必要もなくなり、作品の主題を急速に政治から社会へと、そして知識人の抱える内面の問題へと移していく。すでに熾烈な政治の季節は終焉し、議会制民主主義に移行して、彼自身国会議員として、ジャーナリストとして公認された社会人として、いわば日常の社会の中で生を営む存在となっていた。政治に関与している自分と文学に関与している自分が矛盾なくひとりの人間の意識の中に同居している、あるいは同居できる時代はもはや去ったのである。彼は政治と文学の間にひとつの空間をこしらえた。彼は自ら描く主題を社会性から人間個人の心理的内面の問題へと、芸術としての観点を日常性の中の非日常へとシフトさせていったのだ。政治は政治、文学（芸術）は文学という風に意識の変化、つまり政治の問題は政治的に解決するしかないし、文学は文学的主題としてしか政治の問題を扱えないのだ、ということを自覚するに至ったのではあるまいか。

『折れた櫂』（一九五五年、作者四〇歳）と『法的枠内の中年独身主義男』（一九六七年）は、どちらも法廷弁護士が主人公であり、ミャンマー社会が堅固な階層社会を崩してゆく時代の物語である。

折れた櫂とは、本来身持ちの良い庶民の若い妻が、露店で草履を商っている亭主が警察に捕まり、その裁判を有利にするため、力のある男に肉体を提供してしまったことに喩えての謂いである。主人公は仕事の帰りに、法廷弁護士として社会的地位に相応しい店で、商標の入った草履を買おうとするが、横柄な店主に腹が立ち、貧しい労働者や田舎者を相手にしている、行ったこともない下町の露店で、初めは躊躇するのだが商標のない草履を物色する。この店で亭主の手伝いをしている女が、かつて自分の家に亭主の弁護人になって欲しいと頼みに来たグェーセインだと気付き、その時は、日銭を稼ぐ貧乏人では払いができないだろうからお断りだと告げると、それなら自分の肉体を提供するという彼女に、一層嫌悪感が募り追い返してしまったことを思い出す。その主人公が気に入った草履があったので、買っているところに、警察の手入れがあり、グェーセインは商売品を押収されてしまい警察の車に同乗して行ってしまう。主人公は亭主のトゥンキンに代金をくずしてお釣りを返すと言われ、一緒にヨーグルト屋へ従いて行く。そこで彼はトゥンキンが見た目はこわもての男のようだが、根はいたって純真な男だとわかり、商売やこの辺りの事情や弁護士には知るよしもない裏社会のことを様々聞き、次第にこの男の人生哲学にのめり込んでゆく。そしてトゥンキンの裁判を無報酬で引き受けるまでになる。主人公の法廷弁護士の計らいで裁判は首尾よくことが運び、トゥンキンは晴れて無罪放免になった。ところがその判決の日、グェーセインは姿を見せなかった。彼女はトゥンキンに置手紙を残してどこかに失踪してしまったのだ。自分は相応しくない身に堕ちてしまい、もう恥ずかしくてあなたの許には帰れないといった文面を読むに及んで、トゥンキンの方は益々彼女が恋しくなり、主人公に彼女を探しに行くように促されて出かける。しかし、その後、この夫婦は二度と彼の許を訪れて来ることはなかった。

これがこの小説の慷慨(こうがい)だが、この小説の面白さは社会的身分が高く、志操堅固の法廷弁護士がその地位に相応しく、高い弁護料を支払える依頼人しか相手にせず、万事につき上流階級として偉ぶっていたのが、トゥンキンとグェーセインを知ってからというもの庶民階級の世界にも目をひらいて、最後は以前には考えられない、なんと無報酬で弁護を引き受け、彼等の味方になってしまったことに喜びすら感じるまでに変わってしまったところにある。作者は、そのように変身した主人公に次のように語らせてこの物語を締め括っている。

「私は胸がいっぱいになってきた。感動と愉悦で胸がいっぱいになったにほかならない。二〇〇チャッの弁護士報酬を貰うことにも増して、感動的ではないか。これほどの感動と愉悦は、いまだかつて一度たりとも味わったことがなかった。」

この法廷弁護士の主人公は本来出自のよい、ミャンマー階級社会のエリートとしてこの国の秩序を支える側の人間であるから、したがって社会的地位の高い人が出入りする由緒ある草履屋で、堂々と法廷弁護士だと名乗り（そうすれば店主も横柄な口はきかない）、商標付きの気に入った草履を即座に買えたに決まっている。ところがそうしないで、わざわざ下層庶民の商う商標無しの草履を買い、あまつさえこれまでそんなことは考えたこともなかったのに、彼らに同情して無料で弁護を引き受け、ついには高い報酬を貰ってするより、無償で弁護をし、彼らの味方になることに感動と愉悦を感じるようになってしまう。

作者の表現意識の中に、もはやそのように偉ぶって買い物を主人公にさせることができない手法が定着していて、それがこの小説のプロットの基底にあるとわたしには見える。つまり、これは社会的エリート層が知識人として社会の上にどっかりとあぐらをかいていられる状況が崩れて、彼らの意識も変化を余儀なくされていると考えられるのである。さりとてミャンマー社会が、いかなる階層（身分）の人が誰でも自由に好みの店で気に入った草履を手に入れることができるような状況に至っている訳でもない。いわば知識人の解体されてゆく過渡期の意識とみなすことができるのではあるまいか。

もう一方の小説、『法的枠内の中年独身主義男』でも、作者のこのスタンスは維持されていて、やはりエリート法廷弁護士が過渡期の知識人として描かれている。仏教的（宗教的）な戒律には縛られない法の社会の枠組みの中で生きている知識人（法廷弁護士）が、その法を犯して若い下女を〝隠し女〟にしようとする話である。あの手この手で下女のタンチーを陥落させて、自分の正式の妻ではなく妾のような身分にしておいて、密かに性的欲望を満足させようとするが、結局タンチーの同意は得られず、その意を翻して自分と対等の階級から家柄の良い高学歴の独身女性を探そうと考え方を以前の自分に回帰させるのである。

訳者によれば、ミャンマーでは（現在はどうか分からないが）当時結婚は当事者同士の意志で成立し、役所に届け出る必要はないし、また仏教徒慣習法で男性は養う力があれば、複数の妻帯も認められているようなので、この小説の主人公の行為は必ずしも法律を犯したことにはならない。しかし一方で、公的な法律に則って近代の裁判制度の下で上級弁護士の仕事をし、他方で近代の法制度と矛盾する仏教慣習法の庇護を利用して、下女を〝隠し女〟にしようとするような倫理観を保持した知識人なのである。時代が近代に向かう過渡期にありがちな知識人の意識を作者は描こうとしたのであろうが、ミャンマー社会が近代意識を獲得する方向に向かう時代、そうした歴史の流れにエリート知識人層も古い倫理を解体させてゆかざるを得ない状況に直面したと言ってもよいだろう。

さてさて作者テインペーミンは、文学者としての関心を、政治から社会へと移してゆく中で、今度は人間個人の心理的内面の問題へと次第に作品の主題をシフトさせてゆく。非日常の政治的季節が去り、政治や社会も日常性の中に溶けてゆく。彼は人間個人の日常の中の意識や心理の襞に内在する非日常性を拾い上げるようにして、それを作品に仕立ててゆくようになる。今度は政治や社会と異なった人間の心に宿る普遍的な主題の追求に向かってゆくのである。

作品『美よ、今日はお前に会えなかったか』は、短い文章だが、これは作者テインペーミンの美を契機にしての心情の吐露というか内部的な発露として綴られた観がある。一九七五年のマンダレー、冬の早朝（熱帯とはいえ、内陸のマンダレーの早朝は相当寒い――わたしももっと南のメーサイで暮らしたことがあるがその寒さは経験済み）、日課の散歩に出て、昨日感動した王宮の情景を求めて行ってみるが、もはやその美しいお前に出会うことはできなかったと独白する主人公の心理が主調になっている。

昨日の朝の光の中の感動。「母なる自然の美的創造力」への感応。東の地平線から太陽が昇るちょうどその時刻、大きなハスのつぼみが開き、雲が染まって、サファイア色、金色と銀色にきらめいている。城の建物全ても壮麗豪華、樹々も生き生きとしている。お城の水には赤い太陽、空、城壁、パルミラヤシなどが映っている。「環境的存在としての天然の美と、人工の美とがハーモニーを奏でる時、美は至高の美となってゆく」と主人公は賛嘆する。

ところが、である。今日は一転してその同じ情景に、感動の心が湧いてこないばかりか、反対に無味乾燥にみえ醜悪にさえ思えてしまうのである。

「ぼくは歩く速度を落とし、お堀端に行ってたたずんだ。東の方を眺めたり、北の方を振り返ったり、空へ視線を送ったり、対岸の城壁を見たり、お堀の水面に目を走らせたり、お前を探した。どこにも見当たらない。微笑む赤い太陽はない。……赤い雲はルビー色ではない。黄色い雲は金色ではない。青い雲はサファイア色ではない。叢雲を縁取る銀の輪郭も、もはや唐草模様のごとき美しさではない。

修復された城壁は、望楼の基台や、胸壁や、望楼上の射撃用足場や、柵や、傘蓋(さんがい)や、尖塔状の屋根などを備え、相変わらず立派ではあるが、おぼろげな光の中で見えた時のような、王の威徳の輝きを陽光になぞらえた王朝時代の歌謡「マンダレー丘の右脇侍」のごとき詩的趣はない。きっぱりした光の中で、城壁の補修部分があらわに見えている。城壁の足元にある老いた大木は、骨の浮き出た老人が瞑想するさまにも似る。老いたパルミラヤシの大木も、不格好な幹にごたごた枯れ葉をつけ、懸命に踏ん張っている姿がいかにもおぼつかない。存在としての現実の様態がこのような有様である時、お堀の水面に反映されるかりそめの姿が醜悪なのは、驚くに当たらない。ああ……今日はお前に会えなかったか、美よ。こちらが後れをとってしまったのか。そちらがやってこなかったのか。」といったことになってしまったのだ！

わたしたちは、昨日の「お前」（美）を目の当たりにして、主人公があたかもひとりの画家の目になったように、太陽に輝き出された光景を審美的に描いているようにも見えるが、よくよく味わった後には、主人公のひいては作者の高揚した気分が美意識（心情）に投影されて、朝の光景をこのように美しいものに感応している姿の方に目が移ってゆかないか。またこの時の主人公の高揚した美意識をより印象深くする工夫が文章のそこかしこに感じとれはすまいか。それを逆にとらえれば、それだけ眺めている現実の情景から主人公が主観的に心理的な影響を蒙っていることを暗示させるものでもあろう。

なぜ昨日賛嘆した美的感動が背後に追いやられ、作品の後半では同じ光景が醜悪にまで感じられて、今日の幻滅落胆の心境が強調して語られるのか。明らかにそのように見えなかったのではなく、そのように感じられなかったのである。そもそも『美よ、今日はお前に会えなかったか』というタイトル自体が、前日の美に会えた喜びの表現ではなく、むしろ会えなかった今日の嘆きに作品の重心が置かれているのはどうしてか、わたしには気になるのである。仮に作者が唯美主義者として美的感動だけをモチーフに作品を描くとすれば、昨日の出来事として表現するより、今日の体験をリアルに描けば、より印象は深まり読む者にもその美は深く伝わるに違いない。それでは作者がなぜその日の出来事として書かなかったのはなぜなのか。

このように考えてくれば、美に耽溺できる心情を獲得してはいても、もはや作者は単に美を美として表現したいのではなく、自らの前日の美意識が今日は著しく失われてしまったその落差を心理として描きたかったのだと思われてくる。主人公（作者）の心の中に、昨日の感動がどうして今日は生まれてはこなかったのか。それなら昨日の高揚した美意識はどこからやって来てどこへ去って行ったのか。

この疑問を氷解させる手立てを残念ながらわたしは持ち合わせてはいない。無為無策、お手上げである。ただ手がかりをあえて探ってゆくと、この直前、行政の腐敗を批判して論説委員の座を追われて、マンダレーのかつての共産党同志の姉の家に寄宿している身であることを、作者はあえて話の下地になるように作品の冒頭で語っている。また早朝の散歩にしても、「健康のため、体内浄化のため」と述べてはいるが、いずれにしても悠々自適の隠居風情ののんびりした散歩ではないことは確かである。作者は現役の作家であり、政治家であり、ジャーナリストである。そのための健康であり、体内浄化であり、散歩なのである。そしてわたしがここで強調したいのが、テインペーミンは何よりも芸術家だということだ。

この時の彼の心の中に、何か溜飲（りゅういん）の下がらない喉の痞（つか）え、蟠（わだかま）りが滞留していたと想像してもおかしくはない。そうしたことの反動として、彼が美にことさら敏感であったとしても何ら不思議ではない。まして彼は芸術家として豊かな感受性の持主なのだから。名の知れぬ野の花にも感動し、何日も同じその花を訪れてさえ、なお感動を覚えるのが芸術家の心なのではないか。そして今日は、その感動の心がまたも一転反動となって正反対の方向へとブレていったのだ。わたしたち凡百の人間ですら、誰でも心に悩みや憂い悲しみなどの心の不如意を抱えていたりすれば、普段は何とも思わない歌（音楽）

などでも聴いた途端、心に感動を覚えるといった体験は何度でもある。そのように考えることによって、作者テインペーミンが、王宮の朝の情景に、高揚した芸術的魅力に触発されたとしても、また翌日はその美的感受性が働かなかったとしても得心がゆくのである。

独立後一定の秩序が回復し、それに伴ってミャンマー社会の変化が階層（身分）の分解を招き、特権を持って安定していたエリート知識人の意識をも解体に導いたということはすでに述べた。〝性〟の問題で言えば、『法的枠内の中年独身主義男』が下女を〝隠し女〟にすることももはや道義的に許されることではなくなった。とはいえ、下町の庶民の素朴な性に身を委ねるほど意識が下降した訳でもない。それなら彼らの性はどこへ赴いたらよいのか。さらに言えば、どこへ向かわざるを得ないのか。

ヒトから人間へ進化して以降のわれわれの性は、生殖という生物共通の営みを抱え込んだまま、それだけに留まらず、人間固有の意識や観念の領域へと必然的に向かわざるを得なかった。われわれは単に動物的な性行為をすれば済むという段階を大きく踏み越えて、性を生きてきたのである。一言で言ってしまえば、意識や観念が性を虜にしてしまった。意識や観念が本能的な性という生物的属性をコントロールして、益々性の新たな段階を作り出し今日に及んでいるのである。

『老教師の問題』（一九五九年）と『座る場所を確保したら』（一九七七年）の両作品は、少しく時代を違えているとはいえ、この時代の知識人の性がどこへ向かって行ったのかをそこはかと示唆する作品のようにわたしには思われる。作品の中では共通して、今や知識人の現実的な性行動が問題として描かれるわけではなく、いずれも意識や観念の中に閉じ込められた性意識が現実の、主として若い女性の肉体に触発されて、妄想や白日夢となって主人公を襲うのである。

前者の作品では、定年間近い老教師が朝の出勤時、静謐と爽涼に包まれたバガン通りを歩いてゆくと、前方を歩んで行くひとりの乙女に目が止まる。初めは優雅さと上品さにひかれて自身もプラトニックな気分で悦に入っていたのが、後に従ってゆくうちに、次第に彼女の容姿や肉体に関心が移ってゆく。健康的で引き締まった肢体、ふくよかな臀部と細く引き締まった腰に空想を逞しくする。さらに想いはふくらんで、前に回って胸の膨らみを見たいという思念のため、歩みをいっそう速めてゆく。心はすでに老人であることを忘れ、若い学生となって、彼女に相応しい相手になったような心持で後姿を眺めやる。左右に揺れて、籾を振るう箕(み)のようにリズミカルに動く臀部を手のひらでそっと撫(な)でてみたい欲求にかられるまで事態はエスカレートしてゆく。彼女に追いついてみると、思っていた通り容姿は端麗、念願の胸の膨らみも豊かであることが確かめられる。さらにその美しい容姿を前から眺めたいと、もう無我夢中で彼女を追い越してゆく。

一度はブーゲンビリアの花でごまかして、彼女が前にゆくのをやりすごし、再び後姿を追いながら、臀部をなでたり、背中に自分の頬を押し付けたりと空想を逞しくする。そしてついに細く引き締まった腰をかき抱き、揉みしだきたいという止むにやまれぬ想いが昂じ、空想を越えて想いは妄想にまで及んで、その性意識は絶頂にまで達してしまうのである。

「わたしが乙女の細く引き締まった腰をかき抱き、彼女のほうはわたしの左の上膊(じょうはく)に頭をもたせかけ、共に睦言を交わし、やさしく抱き合いながら歩いてまいります。彼女は二十過ぎの成熟した乙女。わたしは二十五過ぎの若者。金色(こんじき)の小川のエメラルド色の水の流れを、ルビー色の小舟に乗り、銀色の帆をはためかせ、たゆたってまいります。」

と、しかし突然この老人の白日夢に醒めた現実が襲ってくる。自分の教える青年が登場し、彼女と肩を並べて親しく歓談する姿に、主人公はハッと我に返るのだ。そしていつもの耄碌した老人に立ち返りこの二人に自分の心の奥底の迷妄を感づかれてしまったと、自らのありもしない思い込みに、色を失い、恥辱に火照ってしまう。そしてそそくさと歩みを速めて、その場を去ってゆくのである。

これに対して、テインペーミンともあろう作家がこのような作品を書くべきではないとの批判が多かったそうだが(訳者の解説)、恐らく文学作品で描く世界(虚構)と現実の社会で生起する出来事を同次元で考える人たちの短絡した道徳的糾弾であったであろう。これにより当時のミャンマー文学の世界、文学思想、表現の主題の選び方や方法を窺い知ることができる。作家がどのような主題を選ぶかは、どうしてもその主題を表現したいという点で選択すべき問題であり、性を扱おうが何を扱おうが、それによって社会の秩序や慣習道徳に拘束を受けるべき問題ではない、といった近代の文学観がいまだミャンマー社会に確立していなかった。ミャンマーの国民は、一知識老人の単なる卑猥な空想をも許し難いと考えるのが一般的だったといえよう。こうした非難に作者テインペーミンは、文学作品として性をこのように描くことは非難されることではなく、「基本的人間性」との反駁を表明した。テインペーミンの頭の中には、性の問題は誰もが共通に持つ当然の性質であるといった想いがあったのだと推察できよう。

今日のわたしたちの認識からすれば、ある意味では人間にとっての特殊な政治的季節が去って、社会の状況も変化進展してゆく中で、人々が日常の生活を回復すれば、文学の状況もその姿を変えてゆき、人間に普遍的な性の問題が、文学としての課題になるのはむしろ当然だという問題にすぎない。かくしてテインペーミンはまたしても同じ主題、中年男性の閉じ込められた性心理を描こうと筆を染めるのである。

作品『座る場所を確保したら』で作者は、静かで樹々の繁る解放された気持ちの良い通りではなく、混み合って窮屈なバスの中を舞台に設定する。下級公務員の主人公は遠い自分の菜園まで行くのに、色々問題の生ずる、庶民の足の乗り合いバスを利用する。長時間乗るので座席を確保するかしないかが大問題になる。

バス事情が悪い中、ようやく乗車できたはよいが、スシ詰めで座席にはありつけず、片手に籠を持ちながら立つことになる。作者はそこに最初の女性を登場させ、主人公の目を密着している中年女の尻へと向かわせるのである。主人公の籠がたまたまその中年女の太ももの間に挟まった時点で、女は単なるその他大勢の客ではなくなり、主人公の男には特別性的興味の対象になる。男がその中年女を押し続けてゆくと、籠は女の太ももの間へさらに深く食い込んでゆく。ところが中年女に振り返って睨(にら)まれてしまったことで、男の性的興味は薄れてゆき、女は元の単なる乗客の一人にすぎなくなってしまうのである。

ところが作者はバスの走行に合わせて、主人公の男の性意識の推移をさらに追い求めてゆく。その内、バスの車掌が乗客の官僚と口喧嘩を始めると、男は車掌の味方になって威張り散らす官僚に物申して車掌を助けてやる。助けられた車掌が恩返しに男に耳打ちして、うまく座る場所を確保できるように取り計らってくれ、男はまんまと座席にありつくことができるようになる。心に余裕のできた男の関心はまたしても近くにいた中年の女（しかしよく見ると男の上さんより若い）に向かうのである。

身に着けた衣服も悪くなく、臀部はむちむちである。その肢体は煽情的だ。むろん、女の方は男に全く無関心である。ラッキーなことに、女がぴったり男に寄りかかって来て、今や女の臀部が男の肩を座席代わりにしている状態だ。こうして男の胸は早鐘となり、手はむずむずしてくる。何とか自制して、女に触れぬよう、つつかぬよう、揉みしだかぬようにしているが、一触即発、いつ行為に及んでもおかしくない事態に至る。と、その瞬間近くで悪臭が漂う。男はその「近距離消音ピストル」を発砲したのは女の臀部ではないかと疑ってしまう。すると男のむらむらと高まっていた性的感情は急速に萎んでいってしまうのである。しかしこの中年女に未練がなくはなく、女が停留所で降りると、初めて前から女の顔を眺める。そして美人とまでは言えないにしても、目を楽しませる顔に、ふんわりしたむちむちの胸にご満悦になるのである。

作者は最後に極めつけの女性を印象的に配置する。主人公はいつの間に来たのか、自分の前に若い娘が立っているのに気づく。そして想像や空想を再び逞しくするのである。年は一八か一九か、処女かあるいはそうではないか、都市に住んでいるか村に住んでいるか。乗っている大型ポンコツバスが横に揺れれば、発育の良い豊満な乳房は横に揺れ、バスが跳ねれば跳ね、縦に揺れれば縦に揺れるだろうかとか。男の空想は次第にエスカレートしてゆき、今度は運転手が急ブレーキをかけたら（かけて欲しい！）どうなるか。急ブレーキのその瞬間、自分が仰向けば、男の口と、発育して柔らかい乳房がもろにぶつかるであろうと妄想する。

その時、なぜか主人公の脳裡にモーパッサンの『牧歌』という小説のストーリーが浮かんできて、娘への関心が、小説に登場する女の乳房の方に移ってゆき、娘への空想が中断してしまう。主人公が娘の空想に夢中になって、目的の停留所を通りすぎてしまったことを車掌が注意すると、ようやく意識が現実世界に帰るのである。そしてバスの中の出来事は忘れ、歩んで行く道々、これから菜園でしなければならない仕事のことを考える自分を取り戻すのである。

この二作品に登場する主人公はいずれももはや知識人男性が複数の妻や隠し女を所有することは難しい現実社会の中で、その性的欲望をどこへもっていったらよいのか、その性意識をどう処理し満足させればよいのかという性の心理的問題に、テインペーミンは結局性的現実行為にではなく、感情のほとばしりを空想や妄想に閉じ込め、男の心理の中に深く封印させて描いたのに違いない。時代の転換が過渡期の性意識を生み出して動いたのではあるまいか。

このテインペーミン小論を終えるに際し、東南アジアの文学がしばしば母国語ではなく植民地宗主国の言語を使用しなければならない状況（フィリピンのホセ・リサールのスペイン語の作品など）があった訳だが、テインペーミンの場合、母国語のミャンマー語で表現活動が可能であったことは何としても幸いだったということをここに付記しておきたい。

『ミャンマー現代女性短編集』

テインペーミンの生涯は、ミャンマーの近代史の一ページ、植民地独立闘争から新生国家の樹立、社会や文化の変革などと不可

分に結びついて送られ、そして閉じられた。まさにこの時代の「アジア的」な特質を体現した形で、政治革命家として、そして文学者として何役もの役者を演じることが、彼の生きる内容になった。そのような彼が、一九五〇年代半ばを過ぎるあたり、つまり政治が比較的安定し、社会の秩序がそれなりに回復して以後、文学の関心を政治の世界から知識人の日常の心理的側面に向け、そこに作品のテーマを移していったことは先述した通りである。その後、この日常性への文学者の関心は、時代を経るにつれ益々高まって現在のミャンマー文学の状況を特色づけるまでに至っている。

『ミャンマー現代女性短編集』(二〇〇一年)は、主として一九五〇年代、六〇年代生まれの女流文学者の、一九九〇年代に書かれた作品を集めて編集され、近年出版に至った作品集である。

この世代の女流作家の短編を通覧して感じられるのは、いずれもが日常の中に、家族その他の人間関係の中から、描くべきテーマを選んで描いてゆく姿勢である。8888運動などの軍事政権に対する大きな政治運動を経験しているにもかかわらず、政治を主題にした作品はもはや皆無に等しい。これが当局の検閲や言論・出版の自由への抑圧のため、文学者が口をつむがざるを得ないところにあると仮に考えたなら、ミャンマー文学はレベルが低いという評価に加担することにもなるであろう。文学者たる者、男である女であるとを問わず、等しく自分が生きる政治社会状況に関心が向かないなどという御仁こそむしろ例外的存在としなければならない。恐らくわたしにはよく分からないが、ここに登場する女流作家にそうした非日常の事件より、日常性の中の出来事に関心を向けさせるミャンマーの文学的事情が介在しているのであろうと推測される。ここで短編を執筆する二一人の作家が、好きなビルマ文学の作家はというアンケートに、ひと時代を画した文学者テインペーミンの名を誰ひとり挙げていなかったことにわたしはその事情の一端を垣間見る思いがするのである。

同じ日常性を描くにしても、これら新時代の女流作家たちはもはやテインペーミンの文学的シチュエーションとは位相を異にしている。彼女たちの多くが家族の日常を共通のテーマに掲げ、その中で新旧両世代の隔たりや時代が強いる古い人たちとの葛藤、男性の女性に対する優位社会に抗う女性たちに向けられた世間の冷たい目、といった人間関係の矛盾に主要な関心が向けられている。時代の移り変わりを反映した人々の分裂した意識が家族をも安泰とはいかない状況を現出させている。それならこれら作品の主人公たちはどこへ脱出口を見出すのか。この脱出口という視点から一連の作品に照明の焦点を当てて考えてみると、多くの作品の中に、上座部仏教と呼ばれるインドシナ特有の仏教理念やそれにまつわる教え、とりわけ「運（カルマ）の法則」（訳者は「業」ではなく「運」という語を当てている）、つまり因果応報の観念に人々の意識が縛られていたり、逆にその呪縛から自由になろうともがいたりする人間が描かれているのにわれわれ日本人の読者としては目がいかざるを得ない。

最初の『鬱積（うっせき）』（ニョウニョウティンフラ、一九九六年）をはじめ、『新旧旧新』（マ・ティーダー、一九八七年）、『荒野の流れ』（ニョウケッチョー、一九九八年）、『テーブルの下の足たち』（ミャッ、一九九七年）、『赤き唇にほほ笑んで』（トゥンニンエイン、一九九七年）などの作品には、「運（カルマ）」の人生観を語る人物が多かれ少なかれ描かれているし、『海の中の小さな帆舟たち』（スエーイエーリン、一九九六年）では、作家でもある開業医のもとに、若い女たちが診察に来るが、どれも酷い夫から逃れたいと思い悩んでいて、医院が亭主運の悪い女たちの一種「駆け込み寺」になっている。聞き役になっても、病気以外にそんな悩みを解決してあげられない女医には、亭主運の悪い患者たちを「運（カルマ）の悪い女」と呼んで自ら慰めるしか方途がないのである。

また『母さん……許して』（シンニェインメエ、一九八六年）では、コンサートに出かけようとする娘が、感情が昂ぶり、精神的にも肉体的にもコンサートなどはよくないと反対する古い母親に、一度は反撥して死を決意して実行に及ぼうとするも、最後は母との和解を望んでこの小説は閉じられている。ここで語られる、コンサートなどは精神的・肉体的に良くないという説教は、上座部仏教の八斎戒の七番目、「装身具をつけてはならず、歌舞を観てはならない」に基づいているのは明らかだろう。それは典型的に古い母親の「カルマとその果報」から発せられた言葉である。

ひるがえって顧みれば、われわれの国においても、仏教的考え方から歌舞音曲はよろしくないものと言われた時代が確かにあった（もちろん今でも特に禅宗などではこの考えが強いであろう）。仏教的無常観を基調に描かれた『平家物語』の作者・信濃前司行長自らが出家のくせにこのような物語を描くとはけしからんといった考え方は当然あったし、それを読むことも感情が乱れるからといって禁じられるのも仏門からすれば当たり前だったであろう。琵琶法師の『平家物語』の演曲などは矛盾の極みだったに違いない。わたしもミャンマー仏教界では、歌舞音曲や読書など人の心を乱すものは原則禁止していると見聞している。タイでも事情は同様である。竹山道雄の『ビルマの竪琴』の中で、主人公が僧になって竪琴を奏でるなどということはミャンマーではあり得ない話とのことである。

最も古い原始仏典『スッタニパータ』の中で、釈迦は繰り返し繰り返し、煩悩から解き放たれるには、あらゆるものの執着を絶たなければならないと説いている。当然、歌舞音曲などは人心を乱し、煩悩を増幅させて、人間に執着心を起こさせる元凶になるのである。

ところで、その様な知識を持っていたわたしであるが、ミャンマー北部の町ラーショーのお寺で、壁に飾られたおびただしい仏画の中に、結跏趺坐（けっかふざ）して瞑想するブッダの側で、弟子が竪琴を奏でている絵を発見していささか驚いたことがある。描いた作者は、修行中に音楽を聴くのもよいものだと考えたのかも知れないが、もちろん一方で、今ではミャンマーであろうがどこであろうが仏教を信じている人々が音楽や他の文化を享受しているのが一般的であることは言うまでもない。

少し横道に逸れたきらいがあるので、再び作品の観賞に立ち返りたい。『喜悦の影』（チューチューテイン、一九九九年）も同様、交通事故を起こした息子を、子供の頃から優しく、他人思いで悪いことなどできない人間なのに、社会に迷惑をかけてしまったのは、きっと「どす黒い運（カルマ）」がやってきたからだと、母親が仏教的な教えで自らを慰めるという主題が描かれている。

さらに、『マイル標識を立てて』（ティンティンター、一九九九年）では、知的女性とおぼしき妻が夫と離別して、残された娘を頼りに生きてゆくという決意を、別れた夫に独白するスタイルが採られている。離別の原因は夫との諍（いさか）いではなく、カルマのせいだという考えが、夫への独白を可能にしているが、近代社会を標榜するわが日本の女性では考えられない行為ではなかろうか。作者は主人公である妻に「私は望みがかなったか否かより、私が成長できたか否かを優先して考えます。……」と語らせて、世間の冷たい風に当たらせているのだが、一方で「彼女にとって大切なのは、人倫と精進と禅定、そして娘とともに生き続けてゆくことだけ……。」と作者の声ともとれる言葉でこの小説を結着させている。夫の望んだ家族の肖像画をよしとはせず、離婚に踏み切り、自立して娘と二人で生きてゆこうと決意する妻の心を支えるのは、「人倫と精進と禅定」と古風ともとれる極めて宗教的な意識であり、西欧近代の自我の自立という思想には縁が薄いと見られる。

そうした意味でわたしが注目したのは、『ある母の詩』（メーニエイン、一九九二年）である。短編中の短編で小説という感じはしないが、なかなか味わい深い作品だと思う。

初めに、「女にとっては、一人の子どもを出産した後の人生は、それまで彼女が所有してきた、あらゆる自由と愉快さと、それに自尊心を葬り去る時間の墓場にほかならなかった。」とあるので、このスタンスで話は展開するかと思いきや、「予想以上に息子はかわいい。でも自由だった生活は恋しい。以前のように自分の思い通り行動するのはたやすいだろうか。坊や、母さんは自由を求めすぎる女よ。それに執着心の強い女よ。坊やにこんなに執着し、後ろ髪を引かれ、そのうち母さんは自分の自由を自分でつぶしていくだろうね」と自らの変節を予兆し、あげくの果ては「墓場という土地は、そこに横たわる者には、愛する者と惜別する悲しみの場所である。しかし、人生の愛欲を絶ち、人生の疲労に終止符を打ち、静かにすごせる場所でもあると。」と宣言して、次第に墓場を肯定する心になってゆく。

作者は、主人公が自由と不自由の間で逡巡しているというより、「茶店にも座れず、ライブにも出かけられず、旅行もできず、映画も観られず、気の置けない仲間と長話もできないという女の不自由は今や息子の傍らの安らぎや楽しさに均されていた。」というように、息子を契機に社会の共同観念に割と自然に自意識を合わせてゆく女の姿を見つめているように感じられる。いずれにしても、墓場に反撥し続けるような強い自我を主張してゆく女ではもとよりないのである。

「愛する者と惜別する悲しみ」とか「人生の愛欲を絶ち」とかいう表現にわれわれ日本人は、どうして他人を愛してはいけないのかと疑問に思う節もあるが、仏教では「愛別離苦」は煩悩の一種として退けなければならないだろうし、あるいはミャンマー社会の通念に「この世の愛執（あいしゅう）を断ち切り、出家して遍歴し、愛執の生活の尽きた人」が人として最高の状態だとする釈迦の言葉（『スッタニパータ』）がその背景にあるのかもしれない。

この作品が「伝統的な母の慈愛を冒涜するものだ」と批判されたとあるが、そのような世間の常套的な批判は何といってもお門違いというものだ。

さて、作品の中に上座部仏教の理念とりわけ「カルマの法則」の影響をみてきた訳だが、次の『小説にあらず』（ケッマー、一九九七年）こそまさにその名に相応しいカルマ信仰を地でゆく作品と言ってもよいものである。題名のごとく、小説というよりはアニミズムや占いを信じる人たちの古臭い考えと行動に何が何でも一矢を報わずにはおかないと仏教的教義をイデオロギー化して、徹頭徹尾裁断するといった闘いの宣言書のような文章だ。

「ダッとか、ナッとか、ボウドーとか占いとかを過信する従姉のような人種が多数いることを知っているから、私はわが民族が哀れで憂鬱になるのであった。国家の発展に向けて諸方面が努力しているご時世に、我々のような知識人の、若人から中年や熟年までが、時代を後退させるこのような思想と行動を畏敬（いけい）し、実践していて、この国はいつになれば発展するのだろうか。私はこのような動きもまた、この国の発展を阻んでいると思うのだ。」と闘争心を露わに、結婚披露宴で出会った霊験師の「先生」と対決する。

先生が金色の錬金玉を手品のように「私」に与えようとする。「私」は、「先生、私こんなのいらないわ。私たちは人間よ。涅槃（ねはん）に達することのできる人間よ。人間は自分で祈りを捧げ、回向し、布施をしてこそ解脱するの。霊からもらった錬金玉を後生大事にしまっておくなんて無意味だわ。人間というものは悪霊より水準が上よ」と言って軽くいなす。次に、先生が挑戦状を突きつけ、「君が酒を飲むと前後不覚になって、ロンジーも脱げそうになって、帰りに階段から落ちる」と予言し、挑発する。「私」はその勝負を買って出て酒を飲む。そうして見事霊験師のインチキ性を証明し、このアニミズム対仏教の闘いに勝利するのである。そしてこの対決を勝利に導いたのは、「私」の信じてやまぬ仏教的教理であると断言する。

この点では、『漁師』の「ナッ祭」に登場した仏教修行者と全く変わらぬ信仰である。

「私はたくさんの布施はできないし、何度も瞑想修行に勤(いそ)しむことはできないが、仏法僧の三宝や五大無量の恩徳を理解する。良きことを考えれば良きことが生じるという運(カルマ)と運(カルマ)の結果を信じる。」と仏教的運命論を展開して止まない。知的な女性である主人公は自分の信念でその呪術を叩き潰すと豪語するが、その信念とは言うまでもないが、西欧の解き放たれた個を核にもつ自我ではなく、いわば仏教的自我（そういうものがあるとして）に裏打ちされたあくまで仏陀の信仰つまりその教法や倫理が根拠になったものである。

この小品は作者の実体験を書いたものとのことだが、だとすれば作者の思想を創作を通して形象化したものと考えてもよさそうだ。

さて、今度は「カルマの法則」の影響の比較的少ない家族の物語を数編まな板の上に載せてみたい。まず初めに、『麻酔薬』（ミチャンウェー、一九九八年）。麻酔薬とは、パゲェというエビを生きたまま眠らせるため低温に浸すことを比喩的に言ったものである。主人公の女性は労働者を使って娘と共にそのエビを外国に輸出するため、忙しく立ち働いている。元局長のエリートだった夫は卒中で半身不随の身で、酒ばかり飲んでいて役立たずなので彼女はもう見向きもせず、軽蔑して疎んじている。従って夫婦仲は悪いが、そんなこと気にすることもないほど多忙を極める仕事をこなすことが、この女性の生きがいになっている。要するに、この小説はミャンマーの女が男（夫）に頼らず、自ら仕事を立ち上げ、自立していく時代が到来したことを、エリートの夫を出し抜いて、逞しく生きることを描くことで宣言しているのである。

同じく仕事を主題にした『鋼鉄の鎖をつける者』（ヤーテッパン、一九九六年）では、上の作品とは対照的に、大学助手という名誉職の知的女性が家族と暮らす夢を実現させたはよいが、今度は弟や妹と比べ収入が少ないことで、彼らと仲良くやれない。そして再び家を出る決心をするも、家賃が高くて払えず、結局家族と一緒に暮らして我慢するという物語。題材は日本では考えられない話だが、ミャンマーのこれが現実なのであろう。

同様に知的エリートの物語でも、すでに生活苦を免れた超エリート層では、むしろ精神がアンニュイになってゆく人々もいる。

『第一の妻』（アニンウェーニェイン、一九九二年）の中の「妻」は、インテリ官僚として役所勤めをしている身で自身もエリートであるが、同じくエリート会社員の夫が出張に出た夜、アンニュイな時間を夫にたいする不満や批判を思う存分独白するのに費やすのである。そして社会の秩序（世間の風）を嫌悪し、それが支えている夫中心の生活を嫌悪する。名前の前に「役立たず」という冠詞を付けて夫を呼ぶ習慣も身に付けている。そして最後に、自分がバースデー・プレゼントとして上げた夫のシヤツのボタンをわざわざ外し、生地を鋏でずたずたに切り裂いてしまうという実にインテンスな行為に及ぶのだ。

次の作品『つかの間の夢が見たい』（キンフニンウー、一九八五年）も、やはり知識層の日常のちょっとした心のアンニュイに訪れる非日常をやんわりと描いている。

ヤンゴン第一医科大学の同窓だった夫婦が、故郷のパテインで医者として毎日忙しく診療をしている。妻が子供とお手伝いを連れて長兄の沙弥式に出掛けてしまうと、夫はたまたま患者として診察したヤンゴンの女子大生に好感を抱いてしまい、彼女がヤンゴンに帰る急行汽船にハーラワーというお菓子を届けに行く。ところが、彼女が私（チャマ）と言わず娘（タミー）という一人称を遣ったので、自分が父親のように慕われているだけだと気づいて、我が身を振り返り、妻の元に帰ろうと家路を急ぐといった内容だ。

要は、前作のエリート官僚の妻と同様、社会の秩序（道徳）や世間の風から逸脱しようとする点で共通のモチーフが感じ取れるが、そのどちらにしても、精神医学を必要とするほど不健康ではなく、極めて健全な精神の持主と考えてさしつかえはない。

別に、ミャンマーの都会の世相が窺い知れる作品もある。『草たち』（ケッセインキン、一九九七年）は、女性作家（?）が喫茶店で贅沢な気分で読書をしている前に、若い娘がやって来る。見れば当世風の形をして、かかとが十センチ余りもあるサンダルを履き、小さなリュックを抱えている。初めは好感を持って迎えるのだが、その内リュックから化粧道具を取り出し、頬や唇や目を塗り始めたのを見て、次第に目障りな存在と化し、いらいらが募ってくる。そうして当世風のこのケバ女（人前で平気で化粧し、その内お呼びがかかってご出勤）に腹立たしくて仕方がなくなってしまう。しかし、米の雑草なら除くこともできるが、この「草たち」（ケバ女）は除くことはできないと嘆息して終わっている。

なかなかコミカルなタッチで、新人類の出現を描いているのだが、この時代（一九九〇年代）すでにミャンマーにこのような風俗の世相が現れていることに興味が湧く。わたしも数年前、ヤンゴンに行く度毎に街中を歩いている最中、もちろん茶髪のお兄さん、お姉さん方のケバい服装をその都度目撃したものだ。

こうした風俗の男女は、『赤き唇にほほ笑んで』（トゥニンエイン、一九九七年）にも、街の悪餓鬼どもの兄ちゃんたちが、車で女たちを軟派しようと手ぐすね引いて待っている描写が、金持階級（パーマをかけ、ひどく色白で、ミニスカートやだぼだぼズボンを穿いた人々、携帯電話をズボンの腰のポケットに入れ、車のキーを持ち、ビルマ語をたどたどしく話す人々、外国人観光客）がアルバイトの主人公の一ヶ月分の給料もする衣服を買う場面と、共にあるのを見てもかなり一般化していたのだと推察できよう。これはこの時代、軍事政権が中国の開放経済政策を見倣って、外資の導入に踏み切ったことをも同時に反映しているのであろう。

最後に、『姉さんは空』（ティンティンウー、一九八九年）についてわたしの感想を認めてみたい。

若い売れない詩人の男が自分の姉さん――文学修士で学生に講義をしている、かつては弟同様文学や詩が心底好きだった――に今は全く反対の人になってしまったではないか、そして自分のような詩人をろくでもない人間、単なるゴロツキだと考えているんだろうと忖度する。しかし自分の純粋な生き方、詩人としての生き方こそすばらしいと意気軒高に独白する。

珍しく仏教的世界観の匂いを感じず、われわれ日本人にも通じる、若くすがすがしい作品である。一九六〇年代に学生時代を送り、その後のわが国の知識人の行く末を見届けてきたわたしには、この主人公の心情に共感できるところがあって、一番親しみを覚えた作品でもある。

ところで、これでこの短編集の感想はザーッとではあるが終わりである。ところが付録としてある『「ミャンマー現代女性短編集」に寄せて』(ジュー)を読了して感じたことも一言述べてみたいと思うのである。これは一口で言ってしまえば、ひと頃の日本のウーマンリブを髣髴とさせる内容と言えないこともない。そしてそれに対しては誠にごもっともと言うよりほかはない。ジューが述べているように、ミャンマーでは女性に対する社会的抑圧(世間の女性に対する観念も含める)もまた、男性の女性に対する家庭内での横暴や理不尽な性的侵害も現実に存在するとわたしも思う。したがって女性の立場からそれらに反対し、女性への抑圧に抗うことに賛同することに吝かではない。わが民主主義国の日本ですら、事情はさほどミャンマーの実情と隔たっている訳でもないので、さらに言えば、その他のアジアの国々でも状況は多少の差はあれやはり似たり寄ったりであると考えられるので、女性の地位向上はどこであれ大きな課題のひとつとしなければならない。

だが、わたしがここで問題としたいのは、比喩としてではあれこの短編集を「男性優位社会のもとで抑圧された女たちの証言の記録です。」と考える彼女の読み方であり、ひいては彼女の文学観である。ジューも述べているように、「抑圧された女たち」のこと、それにもがいたり抵抗したりする女性が描かれている作品も多くあることをもちろんわたしも認める。それを現代ミャンマーの特に女性文学者が課題にし、作品のテーマにする事情も理解できる。しかしわたしが読んで得た印象と彼女の主張の間に齟齬をきたす側面のあるのもまた否めないのである。

ジューは、「ビルマの女たち」と一括りにミャンマーの女性、それから女性作家を論じているが、その女性の中には当然様々の種類の女たちや作家たちがいるのに、そこまでは下降しない。そして「ビルマの女たち」はすべからく有能で、様々の抑圧をはねのける力があり、勇気に満ち、将来の希望もあると断言して、これらの作品の中からその例を取り上げて証拠としている。が、果たしてそうなのかと挙げられた証左に疑問の余地のある面も少なくなかった。

例えば、『鬱積（うっせき）』という作品をジューは「年老いた男が良からぬことと知りながらそれを実行に及ぼうとします。でもお手伝いの娘には、それを良くないことだと認識して撃退する意気があります。」と書いているが、その元の文には「キンプがタナッカーを頬に塗っていた時、生温かい手でぎゅっと抱きしめられる感じがして、頬がカーッと熱くなった。何者だかわからなかったが、無意識にそれを力一杯後ろへ押しのけると、どすんと音がした。」とあるだけで、この文章から「良からぬことと知りながら」男がコトに及んだのか、そうでないのかは判断できないし、「それを良くないことだと認識して」娘の方が撃退したのではなく「無意識にそれを力一杯後ろに押しのけた」咄嗟の行動であることは明らかである。要するに男がぎゅっと娘を抱きしめた瞬間、それが誰だか判断できない娘が、無我夢中で本能的に誰でも少女であるならそうするようにしたにすぎないと取るのが自然なのに、ジューはこの娘の行動を称賛し、ビルマの女が無能ではないという証左だと主張する。

さらに、次の『小説にあらず』という作品に至っては、もはやジューの思い込みとしか言いようのないコメントが述べられている。

『ビルマの女たちは間違いを間違いと言える勇気があります。……例えばケッマーの『小説にあらず』では、精神の強靭な一人の娘と一人の男の興味深い対戦が語られます。…』とあるが、わたしが読んだ限り、この小説のテーマは、古臭い迷信のナッ信仰などはインチキだと食ってかかる娘が、仏教の教義や倫理を根拠にその信念を貫いて呪術師を論駁し、仏陀の正当性を主張して勝利を宣言するところにある。すでに作品論でこの作については論じてしまっているので、これ以上言う必要はないと思う。そこでジューの「間違いを間違いと言える勇気」について若干言を費やしてみたい。ここで「間違い」とジューが言うのは、ナッ信仰などのアニミズムを抱く心であることは明らかで、それに対して娘の仏教の教義や倫理は正当（善）であるらしい。

小説『漁師』の中で、現在のミャンマー人の精神を基本的に規定しているのは、基層にあるアニミズムの神々や外来上座部仏教が定着して以後の教義や倫理そしてその世界観であり、その上層に知識人を中心とする西欧近代意識が載っている構造を「アジア的」概念という枠組みでわたしは理解しておいた。ジューの言わんとする女性に対する社会的抑圧や男性優位社会の女性蔑視、男の理不尽な性的侵害（差別）を招来させる元凶は何なのか。また、そのような不合理に抗う女性たちを批判・非難する「世間の冷たい目」はどこからやって来るのか。

上に述べた現在のミャンマー人の精神構造にその根拠を求めずしていずこにそれを求めることができようか。そもそも封建制度を欠いたミャンマーの歴史に、そして永く双系制社会を維持してきたミャンマー社会に男尊女卑の思想や女性蔑視の観念がどうしたら生じるのかわたしの理解を超えている。わたしたち日本の永きにわたる（そして今も続いている）根強い男尊女卑の慣習ほどの女性抑圧がミャンマー社会にもしあるとすれば、上座部仏教に由来する女性観にあるとわたしだったら考える。よく言われているように、ヒンズーのカースト制度の不平等から下層階級を解き放ち、人間すべからく平等を唱えた仏教が、女性はどんなに修行を重ねても悟りには至ることがない（できない）存在だと考えたところまでそのルーツを訪ねなければならないように思われる。その始祖釈迦の思想を嚆矢として以来、この考えが覆されたことは永い仏教史の中で一度たりともなかったのではないか。そして北伝仏教*と比較すれば、はるかに上座部仏教でこの考えが厳格に守られてきたのだと考えてもさしつかえはないようだ。

少し誤解を招かないように説明を加えたいが、釈迦はどうして女性は悟りの存在ではないと考えたのか。色々の理由が考えられているらしいが、そのどれもが厳密な考証を経て述べられた訳ではなく、誰もが納得するほどのものではない（恐らくそれは無理な要求であろう）。むろん素人のわたしごときも同様なのだが、あえて憶測を逞しくしてみれば、釈迦はもちろん女性蔑視でそのような考えに至った訳ではない。男と女は人間ではあるが、広い意味の性において決定的に異なった存在である。例えば、男はどんなに頑張ってみても子供を産むことはできない。それと同次元で、女はどんなに頑張ってみても悟りを開くことはできないと考えたのだと思うのだ。それ故に、要するに女性の本質性において、悟ることの不可能を説いたのだ。

なので、この時点で釈迦は女性が劣等な人間だと社会存在（自然の本性的存在ではなく）として認識していたと考えるのは早計なのである。しかしその後、彼の弟子や巷間の信者たちは、教祖のこの考

＊インドからネパール、中国、朝鮮、日本のルートを経て伝播した仏教の総称。

えを様々に解釈していったに違いない。そうしていつの時代かはわたしには分からないが、この考えを社会的な範囲にまで拡張し、女性は悟りが開けない存在↓社会的に劣等な人間だという観念が仏教徒自らによって生み出され、定着していったものとわたしは考えたい。

その上に上座部仏教の教義や世界観（宇宙観）がミャンマーにもたらされた時代、聖職者（教団や僧侶）たちが、自分たちの信仰を世俗の大衆・庶民に垂ろして行った時、仏教の宗教としてのレベルがより教条的に、より固定観念となって人々の間に普及していったであろうことは容易に想像できることである。つまり、いくら修行しても悟りは得られない、死して後も成仏できないなどから、女性は人間的にも劣った存在なのだという短絡した考えが流布されていったのだ。

新約聖書の内容に反して、カソリックのマリア信仰などが現代において熱狂的に信じられたり、マルクスの「宗教はアヘンである」という言葉をそこだけ抜き出して、何百万人もの人々を殺傷したりした中国の文化大革命など、最初の教祖や思想家が決して考えていないのに、それらがイデオロギー化して一般庶民にまで達した時、もはや著しく変貌を遂げてしまう歴史的事象は枚挙にいとまがないのである。

ミャンマーにおける目下の上座部仏教信仰の現状に疎いわたしにはよく分からないが、少なくとも庶民・大衆の意識や観念が上述した仏教的教義や世界観と付随した形で、女性の劣等性という観念を併せもっている、それが外でもないジューの抗議する「世間の目」という意味であろう。男性が複数の妻帯を許されるのも、男性優位を認め、仏教法として定めてあるのが良い例証ではなかろうか。この女性短編集の作品群の中に、母（旧世代）と娘（新世代）の確執が度々描かれているが、それは自己の人生の不幸など不合理を訴える娘に対して母親の方が、カルマなのだから仕方がない、そのカルマに従うように言いくるめる構図がほとんどである。

わたしはジューがこうしたミャンマー女性の不合理な人生の矛先を男性（社会）や世間の冷たい目に向けるだけで、それを根底から支えている仏教倫理には一向に目を向けないのが不思議でならない。それればかりか、ナッ神を信じる呪術師のインチキ性を、カルマの因果応報を固く信仰し、仏教の教法や倫理の信念で糾弾する娘を称賛するに至っては理解の埒外にある。人間個人がどんなに努力しても、そんなことはたいしたことではなく、人間の諸事万端すべからく「カルマの法則」が関与しているとするこの決定論・運命論から自己の拘束された意識を解き放ち、自分の力で思考することは目下のミャンマー社会で何がしか意味を持つことと考えられないであろうか。

さらに言を費やすことが許されれば、この世には支配する者と支配される者がいるというこの世界の基本的構造が続く限り、不平等や不合理は決して解消されることはあり得ないとわたしは考える。それならば、わたしたちはこの不平等な社会の中で、どのように人間関係を築いたらよいのか。わたしたちはどんなに不平等な社会であれ、現実に他人と相対した時、一対一の対等の関係になることができる。対等は具体的に生身の人間がそこにいることによって成立する上下のない関係である。そこでは相手に何ものかを求めて止まぬきっぱりとした意志を示すことができるのだ。人間は平等ではなくとも対等になれる時もあるのである。

男女が一対一の家庭の中で、夫と妻は世間の共同意識とは異なる二人だけの関係を築いている。したがってここでは、夫と妻が対等になることは不可能ではない。世に言う亭主関白もあれば、カカア殿下もまたあるのである。ジューも認めているように、『麻酔薬』の妻は夫に頼らず、自ら仕事を立ち上げ自立して逞しく生きている。『漁師』の女房だって夫と対等に渡り合って堂々と生きているではないか。

それからわたしたちの世界には、言うまでもないが、抑圧された女性もいるが、抑圧された男性もまたいるのである。抑圧された人間は至る所に存在している。それは一方で抑圧する人間（もちろん男性もいれば女性もいる）や制度があるからだということは自明の理である。ジューがこの女性短編集の諸作品から「男性優位社会のもとで抑圧された女たちの証言」だけを見ることによって、ことさらエキセントリックにウーマンリブ的主張をイデオロギー化することは、文学空間を狭い場所に閉じ込めてしまうことになり、それはかつてのプロレタリア文学が果たした前車の轍に再び道を開けることにならないか危惧されるのである。

最後になってしまったが、訳者南田みどり氏の翻訳について一言触れておきたい。『テインペーミン短編集』も含め、日本語それ自体の表現レベルが高く、時には訳者の感性（個性）が業（わざ）となって独特の言葉を生み出して作品の質を著しく高めている。従って、翻訳文でありながら、それを全く意識することもなく、読者がまるでオリジナルな日本語の文章を読んでいる感覚で作品を鑑賞できるのは、ひとえに訳者の力量の賜物だと思われる。ともあれ、このような優れた訳文でミャンマー文学を味わえるわれわれ読者は幸いなるかなである。

『買い物かご』

さて、わたしの感想文もそろそろ終盤にさしかかってきたようである。これまでミャンマー文学の日常性の系譜を述べ来った訳だが、日常性をもはや日常とは意識することもないほど、日常性そのもの、日常の生活そのものを文学的主題にしているのが、ここで取り上げる二〇〇五年刊行の『買い物かご』である。この女流キンキントゥーの短編集に至っては、ジューの言う「男性優位社会のもとの抑圧された女たち」はもう全く登場することもない。日常性の生活の究極は買い物、そこでは買う人がいれば売る人も当然いるので、それぞれの綾なす人間劇がある。舞台になるのは、華やかな都会のショーウインドーのある店舗やスーパーマーケットではなく、地方の田舎の市場（いちば）である。むろん人間の私情の入り込まない、高度な資本主義的市場（しじょう）経済ではなく、定価があっても、売り手と買い手のやり取りの交渉次第で値段が決まるという市場（いちば）経済が主流だ。それゆえ現金（げんなま）だけが交換価値になる。人間も村落で暮らす人たち、その娘や息子、そして孫という今を生きる人々だけが舞台に立つ。そこでドラマが成立するというものだ。作者は一九六二年生まれ、上ビルマの田舎ミンジャンで育ち、マンダレー大学で化学を学んでからもずっと上ビルマの文化圏で暮らしているとのことである。

彼女は幼少時、父母が舟を操ってエーヤワディー（イラワジ）川沿岸の港や村々に、生活で使う陶

器を行商して回るという環境で育ち、母に付いてよく市場へ買い物に行ったという。そして母の買い物の仕方をつぶさに学んだらしい。交渉して値段を決める売買では、双方の言葉のやり取りが値段の決定に重要な役割を演ずることになる。単にお金を出して品物を受け取るという機械的なものではないのだ。双方の性格や人柄、そして相手を納得させる巧みな論理を駆使できるか否かが交渉の行方を直接左右する。子供時代から経験を積まなければこの買い物は不可能なのである。わたしはかつて北タイの田舎で暮らした経験がある。交渉して物を買うことが日常だったのでこのことをよく理解している。あるいは幼年の頃、わが日本の国でも下町の商店などでは交渉次第で物が安くなるいわゆる値切りの習慣が残っていたので、わたしも母親に付いてゆきその手腕を見ていたものだ。

この短編集には、一二編の作品が収められている。そのどれにも作者の体験が基調にあり、作者の等身大の姿を認めることができる。そして何よりわれわれ日本人にも昔懐かしい共通の風景や人情が垣間見られるのである。作者は自身が母親になった時、子供の頃の母の偉大さが改めて思い起こされる事々をどうしても作品化したかったのであろう。

『母と物売りたち』で、買い物上手で通っていた母、値切り上手の母は、近所の人から「ミャティンおばさん（母のこと）が終えた後、買い物をしなさい」と言われるほど、その買い方上手が伝説になっている。それを知るには何よりその腕前を見るのが一番だ。

ある日、竹の天秤棒に刃物をかついで行商がやって来る。母は薪割り用の斧を一丁買うつもりでその刃物売りを呼び止める。まず、鉄の品質がよくないとか、鍛冶屋の技術が劣っているとか言って、売り手の心理に軽く圧力をかける。次にその言葉をちょっと和らげるために、せっかく呼んでしまったので一丁買うわ、と相手を安心させる。その次からが本番だ。二〇〇チャッという値段を聞いて、高級じゃあないから一五〇チャッにしておきなさいと値切りにかかる。すると意外にも、相手はそれでよいとオーケーする。ところがこんなにすんなり値引きに応じるのはまだイケる証拠だと判断して、今度は一〇〇チャッに下げる。すると刃物屋は怒りを露わにするが、一〇〇チャッに下げなければ買わないに違いないと推量して、しぶしぶ承諾する(むろんこれもやり取りのポーズ)。母の方はしてやったりと一〇〇チャッ、つまり言い値の半分で斧を手に入れることに成功する。その後母は子供たちに、五〇チャッまで値切ればよかったと語ったと話のオチまでが付いている。

その母親が自分の誕生日に、一皿五〇〇チャッの焼きそばを五人の子供たちにプレゼントするのだが、あのケチな母がよくも二五〇〇チャッも出したものだと、子供たちは驚き話題にして笑い合うのである(誕生日の当人がプレゼントするのは、誕生日を功徳と考えるので、そのおすそ分けをするという意味がある)。ともあれ、物の売買を交渉でするということは、双方が相手の心の中をどれだけ巧みに読み取れるかの心理作戦にかかっている。言葉だけではなく、顔の表情や体の動作全てをしっかり観察しながら、勘を頼りに相手の心の中まで入り込んでゆけなくては、勝利はおぼつかない。

わたしも北タイで宝石商人から交渉で大きなサファイアの原石を買った体験をもっている。この交渉は、宝石では素人のわたしの方が初めから不利な条件を抱えて始められたが、一対一の対決で言い値の四〇〇〇〇バーツ(約二〇万円)を三一五〇〇バーツまで下げて落手した。三二〇〇〇バーツで交渉が膠着した時、相手が小さな仏像(プラ)を大切にしているものだと言ってわたしに受け取って欲しいと差し出した。タイでは仏像は親愛の証としてやり取りするものだ。それに対してわたしが誠意を示さなければこの交渉は決裂する。そこで咄嗟に三一五〇〇バーツと最後の賭けを試みた。それが功を奏して双方、気分よく納得した。これが三、四〇分の交渉の顛末であった。相手はなかなかやるネ、とわたしを称え、近くにあるわが家に泊まりに来て欲しいとわたしを誘った。

次の『母と買い物客』では、昔竹ひごでできた正確な天秤を用いてごまかさずに商いをしていた母が、今でも商売人の計るインチキを見事見抜く勘をまだ保持していることを娘が誇りをもって語る話である。また『商品帳簿』という小品には、なかなか興味深い母が登場する。田舎で雑貨屋をやっている男、その義母が手伝っているが、彼は義母の記す帳簿のもやし文字や省略文字が読めない。正式の名称をくずして書いたり、頭の部分だけ書いて省略したりしてあるので、もう一度何が書いてあるのか問わねばならない。ところが、村の連中のこと、昔から使っている言葉などは母の知識の独壇場なので、店番は母に任せておいた方がスムーズにゆく。その方が品物もよく売れるのだ。要するに、田舎の商売では昔気質の母の方が重宝なのだ。現代教育を受けた大学卒は役立たず、れっきとして現役なのは母の方だったという物語。

『母の大切な箱』でも、先祖代々商売で入って来るお金をしまい込んでおく箱に対する愛着が語られる。その箱を母から貰った娘は、自分は商売人ではないので使う訳ではないが、母の苦労が染み込んだ箱なので、大切にとっておこうと願うのだ。やはり働きづめの人生を送った母への文句のない賛歌である。

ところで田舎では、買い物かごと市場は切っても切れない関係にある。『買い物かご』の主人公は、集合住宅時代あまり市場通いはしなかったが、市場の近くに越すと、買い物かご持参で市場に買い物に行くのが楽しくて仕方がなくなる。夫や子供と連れ立って市場へ出かけ買い物を満喫する。そして子供の頃の買い物ごっこを懐かしく回想するのである。市場には商店ばかりでなく、お菓子屋もあれば食堂・喫茶店もある。買い物を終え、一家はそんな店でゆっくり寛（くつろ）いでから家路につく。その平凡な日常の中に、日々の暮らしがあり、生活の安寧があり、心の充足もまた自ずと生まれてくる風景がある。

同じく市場（いちば）をテーマにした『田舎の市場』では、親しい隣近所の仲間と早朝連れ立って市場に買い物に出かけ、めいめい台所事情に見合った買い物をする情景が描かれているし、また『朝市』では、今度は朝だけ賑わう市場に、店舗を持たない売り手が敷物を敷いただけで、自分の畑でとれた野菜や花々、安く仕入れた雑貨の籠を背負って市場で商い、場合によっては自らも他の店で生活必需品を買ったりしながら、仲間内で皮肉を言い合ったり、喧嘩をしたりして、和気藹々（わきあいあい）皆市場を楽しむ風物が描かれている。

さらに、作品『市場で生まれた子』では、市場で起きた悲しいドラマが語られる。市場の中で出産してすぐ亡くなってしまった友だちの赤ん坊を、代わりに市場で商いをしながら我が子のように育ててきた若い母が、その女の子ミゼーを小学校の入学式に連れてゆく。ところが両親の名前を聞かれたミゼーが、母親はマ・ミャムーだと実の母親の名を告げる。それを聞いて思わず自分が本当の母親ではなかったことを自覚してしまい、悲しい気持に襲われる。淡々とした作者の語り口が、はかなくも哀切な話をカラッと揚げた天ぷらのように味わいのあるものに仕立てている。

さてここまで書いてきた市場といえば、いずれも建物があり、その屋根の下で多種多様な商売が営まれている市場ばかりだが、何も市場はそれだけに留まる訳ではない。広くアジアの国々で古くからある屋台や露店の連なりも、果ては列車内の物売りや家々を巡る行商だって、移動型小市場と考えても少しも差し支えはあるまい。それらに共通するのはいずれも庶民の生活を支える日常的で、ささやかな商いという点である。

『祭の屋台』は、昔わたしたちの国にもあった地方の祭、まだ娯楽に乏しかった頃は、寺や神社の境内でたくさんの人々が集まって、にわか舞台の芝居やお神楽、ドタバタ劇を観たり、口から火を吹いたり、刀で腕を傷つけガマの油を塗って治したりする荒唐無稽な興行に驚いたり、屋台の食べ物を食べたり、おもちゃを買ったりして楽しんだと同じようなミャンマーの田舎の『仏塔祭』が描かれている。そこでの主役は何といっても目移りするほどの豊富な品数が並ぶ屋台群である。それでもドラマチックな出来事などは何も起こらない、極めて日常性に富む祭の光景がある。その中に年々歳々繰り返されて来た変わらぬ祭の風物詩が感じられるのである。

『物売りのマ・ワイン』は、マ・ワインという名のお上さんが漁師の夫が獲ったエーヤワディ川の魚をお盆に並べそれを頭に載せて、ほぼ毎日主人公夫婦の住む団地の四階まで歩いて行商にやって来る話である。このマ・ワインが来ないとからかう相手がいなくなってつまらなく思えるほどに、彼女との付き合いが生活の一部になっている。主人公夫婦は実直で誇りをもって生きている彼女を微笑ましい思いで毎日待っている。その彼女が病気（白馬神という精霊の仕業だと本人は信じて疑わない）や一時マンダレーの市場まで魚を売りに行って、行商に来ない時があって心配したりしていると、またやって来て世間話に花を咲かせる。そうした日常の中で、夫婦は物売りと客という仲以上に親密な間柄になり、彼女の問わず語りの私生活や、世間や庶民の人生劇場を聞くにつれ、居ながらにして社会勉強をするのである。

列車内の通路が物売りの走る小さな市場になるのが東南アジアでは一般的だが、ミャンマーのローカル列車でも事情は変わらない。

『列車の物売り』は、小学校の女教師がかつて月給だけでは生活できず、化粧品やら雑貨やらを袋に詰めて列車内で物売りをしていた頃を、そしてその後物売りを止めてからも、通勤に利用する列車の中で、物売りと親しく付き合った頃を懐かしく回想する物語である。

マンダレー・マダヤ間を走るローカル列車。主人公の若い女教師メートゥエは日々列車で通う間、車内で物売りたちと親しくなり、彼らの人生としばし付き合うことになる。

漢方薬の塩（胃腸薬）を売るウー・ポートゥン、この家業で子供三人大学まで進学させているがんばり屋だが、最後は脳卒中で倒れてしまう。サーガレークェ（お菓子）を売るマ・チーティンマ。子供を抱えながら車内を売り歩いている。商い中に産気付いてしまい、メートゥエたち教師たちが皆で二〇〇〇チャッ集めて握らせてやる。その四人目の子供を産んですぐまた列車で物売りを始める。子供たちに食べさせるためだと聞いて、メートゥエたちは売り物を全部買い取ってしまう。さらに自分の米の配給帳を渡してやり米も得させるようにする。その長男もやがて列車内でアイスキャンデーを売るようになる。マウン・フラセイン——葉巻、キンマ、ヒマワリの種を売りながら、メートゥエたち教師のために無料で使い走りもしている。やがて年頃になり結婚する。メートゥエは学校があり、式には出られなかったので、お金を出し合って、魔法瓶、紅茶、お菓子を送ってやる。やがてその奥さんも物売りに加わってくる。その後彼は貯金してサイカー（自転車の脇に荷台を作り人や荷物を運ぶ車）を買い物売りを止めてしまう。それから揚げたお菓子を売っていたインド人の少年も懐かしい。上り下りの列車で往復しながら、一人で生きる術を学んだのだ。

主人公メートゥエはマンダレーの学校に転勤になり、列車通勤はなくなるが、十年後列車の汽笛を聞くにつれ、当時が懐かしく思い出され列車に揺られてその小さな村に遊びに行く。かつてのマ・ティンマの長男に会う。そこで母は病気で休んでいると聞く。雑貨を商っていたウー・パウスィー。場所の取り合いから雑貨をばらまいてしまって、借金してまた商売を続けていたが、もう会えなかった。その彼が亡くなったことも知る。幸い懐かしいマウン・フラセインには会うことができた。サイカーを質に流してしまい、また物売りに戻っていたのである。

私事で恐縮だが、わたしはこの作品を読みながら、思わず自分の子供の頃に限りない郷愁を感じてしまった。個人的体験はそれがどんなに深くてもその人の思考や人生にとって必要条件ではあっても決して十分条件にはならないと信ずる者ではあるが、こうした文学作品に接する時、私的体験が多くの共通の体験に重なる瞬間、俄然自分自身にそれが重みとなって甦る場合もあることをまた知るのである。

この作品の内容はほとんどわたしの小学生時代とオーバーラップして読むことができる。敗戦後、貧困生活を当然のごとくに生きたあの時代、先生は生徒の家庭の事情まで知り尽くし、共に苦しみ、生徒も親も無条件に先生を信頼していた時代があった。そして他人のことは自分のことでもあるといった濃厚な人間関係が存在していた。この作品に描かれている困ったらお互い様の互助精神は、当たり前の人情としてわたしたちの国にも普通にあったものである。それを体験しているわたしが、ミャンマーという国を意識することもなく、登場する庶民の哀感や喜びを追体験しながらこの小説を味読できたゆえんである。日常的にありふれた情景として、力むこともなく、押しつけがましくもなく、さらりと筆を走らせる作者の表現力に誘われて思わず愛着がわき、しみじみ感じ入ってしまう作品になっている。

蛇足になるが、数年前、シャン州のイーポーからマンダレーに旅をしたことがある。この小説を読んでいれば二、三日旅を延ばして舞台になったマンダレー・マダヤ間のローカル列車に乗ってぜひ作品の中の人々を偲んでみたかったと思うことしきりである。

最後は、ビデオ上映館の前で屋台が市場の役目を果たしている『ビデオ上映館の明かりに集まる物売りたち』。テレビが各家庭に普及する以前、田舎のビデオ上映館は娯楽の少ない人々にとっては、よき慰安の場所を提供していた。その前の発電機を利用した蛍光灯の明かりを頼って、さながら誘蛾灯に蝟集(いしゅう)する害虫のように、種々の屋台の食べ物屋が出て人々の胃袋を満足させている。その商売人の間を取り仕切っているのが、上映館主の母親セインおばさんで、この人のご機嫌をそこねては誰も商売はできない。そこで商売を有利にしようと彼らは競って売り物の食べ物を持って行き、おばさんにさかんにゴマをする。ところが、館主の息子があまり儲からない入館料を三〇チャッから四〇チャッに値上げしたら、たちまち入りが悪くなり、再び三〇チャッに下げてようやくのことでオンボロ上映館をピンチから救ったのに、恩恵を蒙って商売ができている屋台の方は全く打撃もなく、素知らぬ顔で相変わらずうまく儲けているという少々ユーモラスな話である。ビデオ上映館と屋台の夜というひと時をスパッと切断して、今時の庶民の人間模様を鮮やかに映し出した作品といえるだろう。

『買い物かご』という文学が生まれる背景には、ミャンマーが今も市場（いちば）経済の状況にあり、売り手と買い手の間でやり取りする人間劇が見られるからである。そこには何にもまして、ありふれた日常の暮らしがあり、人生がある。その日常性の中でミャンマー庶民独特の人生の機微に触れることができた。とはいえ、彼らの生涯が平凡で何の変哲もない事柄に終始している訳でもない。そこには当然喜怒哀楽があり、予期せぬ出来事もある。

生まれ、子を産み、そして死んでゆくという生のサイクルを営々と繰り返してゆく庶民の暮らし、わたしたちが人間とは何かという根源的な命題をひと度思考の上にのせた時、彼らの存在が何ものかではあると考えさせずにはおかない確かな手触りがある。テインペーミンのような知識人と思考は身の回りのことに限定され、決して社会的に知識として浮上することなく、小さな円環の中でその生涯を閉じる人々を、明確な意識の生とぼんやりとした無意識の生を天秤の両皿に掛けてみたら、果たして生の分銅はどちらに振れるのであろうか。

いずれにしても、現下のミャンマー社会では、いまだ知識人と大衆というカテゴリーは厳然と生きているようにわたしには思われる。そのような意味で、作者キンキントゥーがある時には軽妙なタッチで、またある時には真剣なまなざしで地方の庶民の暮らしを買い物かごに象徴させて描いたことにそれなりの意義もまたあったのかと思われてくるのである。

終わりに

わたしはこの感想文の冒頭で「アジア的」概念について述べ、ミャンマーの現代文学がその「アジア的」特質という視点から眺められる意義を強調しておいた。このミャンマー現代文学についての論評を終えるに当たって、再度簡単にそれをおさらいしておきたいと思う。

今日のミャンマー人の精神世界（アイデンティティ）は特に庶民・大衆を中心に、伝統的アニミズムとパーリ語の言語範疇によって成立した原始仏教経典にルーツをもつ上座部仏教が共時的に併存し、その上にイギリス植民地時代以降の西欧近代意識が都市の知識人層を中心に覆い被さる重層的な構造の上に形成されているとそれを大雑把に把握することができる。そしてそれがまた何よりアジア的カオスの源泉になっているのに相違ない。

わたしが読むことのできたミャンマー文学の四冊のディテールいずれにも共通してそのミャンマー的特質を感じることができた。こうした観点からすれば、ミャンマー現代文学の「現代」を西欧の近・現代つまりモダンという概念と等価と考えてしまっては、少なからず誤解を招きかねないように思われてくる。そこで現下の文学をミャンマー現代文学と呼ぶよりはむしろミャンマー現在文学と言った方がより適切かも知れない。この小説集から読み取れるミャンマー知識人の近代意識の分裂はいまだそれほど深くはないというのがわたしの偽らざる管見である。そのことはわれわれの国の百年を超える近代を振り返ってみれば、自ずと理解に近づくことができるのではないか。

それゆえに、われわれは「アジア的」概念がいまだ生きているミャンマー社会が今後どのような変化・発展を遂げ、その時どのような新しい文学が生まれてくるのか待望していてもよいのではあるまいか。

III　ミャンマーの鉄道昨今

ミャンマーの鉄道について書こうとして、どう書いたらこの国の鉄道事情が一番よく伝わるかしらとあれこれ思い巡らせてはみたものの、結局妙案はなかなか浮かんではこない。窮余の一策として、いっそのこと当時の日記を忠実に辿って再現してみせる方法がよいとの結論に至った次第である。

鉄道といっても、私鉄はなし、全て国鉄で、また電化されてはいないので電車でもなくディーゼル機関車オンリーだ。いずれも古くて、汽車と呼んだ方がぴったりくる。

バスその他の交通機関を措いて、鉄道の旅を愛してやまぬわたしは、日本はもとより、長く暮らしたタイでも遠方へ出かける時には、たいてい鉄道を足として使ったものである。

そんなわけで、ミャンマーでもこの間、四度にわたってミャンマー国鉄の世話になり、この国の地方への旅を試みた。これからそれぞれの旅についてわたしの記録した日記を辿ってみたいと思うのである。

そのI　二〇一一年七月一一日(月)――ヤンゴン循環鉄道

この日、ヤンゴン大学を訪ねたくてヤンゴン中央駅に向かった。特に目的なぞはなく、この国の最高学府を観たかっただけである。

駅構内入り口に職員が二人いたので、ヤンゴン大学に行きたいがと地図を示して尋ねた。するとその内のひとりが自分について来いと言って構内に入り、親切にも七番線までわたしを案内してくれた。切符はプラットホームで買う必要があり、あそこのボックスがその場所だと教えてくれた。

その切符売り場で、また地図を示してヤンゴン大学に一番近い駅まで行きたいと告げると、係員が地図を眺めて、「……駅」だとミャンマー語で言った。発音が難しく、それでも真似をして、「……駅」と言えば、そうだと答えた。空港でもらった簡便なヤンゴンの市街地図には、駅名までは詳しく記されてはいなかったのである。

外国人はパスポートを提示しなければならないと言われたが、あいにく新しくパスポートを作るため、目下、日本大使館にそのパスポートを預けてしまっているので、コピーではダメかと訊くと、オーケーだと言う。すると彼はそのコピーを見ながら、氏名やパスポートナンバーその他を自筆で切符に書きこんでゆく。それと引き換えに米ドルで一ドル（つまり外国料金）を払うように言った。それからわたしを導いて列車まで同行し、最後尾の車輌の所にいた職員に事情を話してくれ、また車内にいた別の男（初めこの人も国鉄職員かと思っていたが、後で乗客だと判った）にも声をかけてくれた。

国鉄ヤンゴン中央駅

早速乗車してみると、車輌は後ろ三分の一ほどが特別にロープで仕切られ、一般の乗客は立ち入り禁止区域になっていた。ところが職員がそちらに入れと指示したので、言う通りにしたら、先ほどの男が隣に座るように誘ってくれた。

十分ほどすると発車した。その時、プラットホームにいた職員（旗を持っていたので車掌かもしれない）も乗り込んできた。

わたしの正面の座席には、なぜかいかにも知識の人と覚しき中年の男がしきりに書物を読んでいたが、あるいは大学の先生かもしれない。それ以外は目路の限りをつくしても、庶民ばかりで、まさに大衆列車といった雰囲気。もちろん、外国人はわたしひとりだ。

地図でみると、数キロメートルの距離だと見え、せいぜい二つか三つ先の駅だと思われたが、男は何も言わない。五つ目ぐらいの駅に着いた時、いくらか心配になったので、ここではと尋ねるとまだとの返事。ディーゼルなのはタイの列車と変わらないが、タイとは違い完全に複線化されているのには驚いた。タイの場合、遠距離でも全て単線なのである。とはいえ、車輌はオンボロで、古い日本の貨物列車のようで、タイのそれとは比べようもない。タイ同様、この国も日本が寄贈した古い国鉄

循環鉄道列車

車輌があると聞いてはいたが、それではなさそうだ。速度も力いっぱいこいで走る自転車程度か。ゆっくりしているが、その割には揺れがひどい。駅でもないのに、自宅が近づいたのか、いきなりデッキから線路に飛び降りる若い乗客もいた。

列車はヤンゴン郊外を走り、窓外には庶民の家々やアパートが軒を連ねている。ようやく九番目の駅に近くなった時、車掌らしき乗務員が次だと教えてくれた。この男の姿や顔はいかにも無骨でわが国の昔の国鉄職員を偲ばせるものがあり、乗務はきちんとこなしてわたしにも実に親切だった。

循環列車車内の様子

尋ね歩いてようやくヤンゴン大学の正門に辿り着いてみると、外国人は構内立ち入り禁止とある。政府の許可をもらった者だけが入校を許されると言われて追い返された。仕方なく再び下車した駅へ戻って帰路につくしか術はない。往路同様の方法で切符を求めた。

乗車する前に用を足しておこうと思い職員に告げると、一緒に来いと線路を渡りだしたので追いかけてゆき、田んぼのあぜ道のような場所にあった粗末な戸の鍵を開け、ここだと言うのを見るとただ草の生い茂った一角だった。ここでやるのかと問うと、違うと左の方を指さした。見れば実にみすぼらしいバラックが立っている。そこの戸を開けてみてびっくり。プラスチックでできた便器が中央にあるのだが、それ以外は板が組まれているだけで、下の地面の九割方は見えている。おまけにその木枠が朽ち果てているようで、乗ったら最後折れて地面まで墜落するのではないかと思えるオソマツさ。足を滑らせて落ちないように気を付けながら急いで小用を足した。出て行くと待っていた職員がまた鍵をかけた。二五年間、インドシナ半島を漂泊してきた旅の途次、様々のトイレを体験してきたが、後にも先にもかくも危険なトイレにお目にかかったことはなかった。

帰りは普通の車輌に現地の人と乗り合わせた。空席を見つけて座ってみると、相席した年配の男が英語で話しかけてきた。自分は元軍人だが今は軍籍を離れ、ヤンゴン市内で老後を送っていると語った。温厚な人柄のように見受けられたので、とうてい元軍人とは思われなかった。

ヤンゴン中央駅に到着すると、プラットホームが右側にあるので乗客は皆右側のドアに集まったが、しばらく走ると今度は突然プラットホームが左側に変わってしまい、人々はこぞって左側のドアへと殺到した。不思議に思いながらもわたしも彼らにならってそのようにして下車した。タイやラオスでもそうだが、日本のように切符を改札口で渡す必要はなく、階段を登ると、そこはもう一般道路の橋上になっている。元軍人の老人はわたしがホテルに帰る道がわからないといけないと思ったのか、親切にも歩いてわたしのホテルの近くまで送ってくれたのである。

そのII　二〇一一年八月一三日(土)、一七日(水)〜一八日(木)――ピー(PYAY)

わたしはこの小さな鉄道の旅の話を書く前に、少々長きにわたって恐縮なのだが、わたし自らの重なる失策やら誤解やらが、旅の目的地を南から北へと一八〇度ひっくり返してしまったという何とも笑い話にもならない失敗の言い訳めいた解説をしなければならないことをまずお詫びしておきたい。

わたしの旅の目的はミャンマー南部のメルグイアーキペラーゴという大小八〇〇ほどある島嶼に渡り、そこの手つかずの熱帯雨林の植生や動物相(ファウナ)を見て回ることにあった。ところが、ミャンマー政府が民主化を宣言はしたものの、以前外国人にはご法度だったこの地域に立ち入りが許可されるようになったかどうかは皆目分からなかった。ヤンゴンの大きなツアーエイジェントに問い合わせてみると、外国人の立ち入りは禁止されている、行くならこの会社の企画するクルーズツアーに参加する以外にないと言うのだ。しかもその費用たるや半端ではなく、さらに現地のリゾートホテル泊で外出は禁止、従って土地の人々とは一切接触してはならない、もちろん会話さえかわしてはならない、などという極めて制限されたツアーである(後日、わたしが現地に出かけ、それはツアーに参加させようとするための口実にすぎないことが判明したのだが……)。

そこでわたしは鉄道でいけるところまで行って、自らこの事情を調べたいと考え、ダーウェイという終着駅を目指そうとした。まず、その手前のイエー(YE)という地点まで行こうとして、若い日本人の友人に汽車の時刻表をネットで検索してもらい、そのコピーを見て計画を立てた。

さてこれが後にとんでもない結果を招くことになる。今に至っては記憶がボンヤリしてどうして普通だったらありえない、これまでの長い人生でももちろん一度だってそんなミスは犯したことがないという一大失態をやらかしてしまったのかは、もはや明確には辿れなくなってしまっている。多分、そのイエーという駅名がPYIという風に時刻表の表記になっているとわたしが勘違いして判断してしまったことが発端なのだと思われる。

実はこのミャンマー語を英語表記にすると、ミャンマー語の発音とは異なってしまうことはたくさんある（貨幣単位「チャッ」を「Kyat」と表記するように。一一ページ注記参照）。さらに、ミャンマー語に限らず、タイ語でも事情は全く同様で、例えば、タイ語では完全に「ルーイ」（県名と都市名）と発音するのに、その英語表記は「Loei」となっているので、ほとんどの日本人は「ローエイ」と発音するなどだ。それに加えて、ミャンマー語では軍事政権時代、「ラングーン」を「ヤンゴン」と改称したように、全国の都市名、山や川、その他の名称を変えてしまったので、その前に作られた地図を利用すると異なっているものが多い。わたしが目指した「ダーウェイ（DAWEI）」だって元は「ダボイ（TABOI）」と呼ばれていたし、その後訪れた「メイッ（MYEIK）」だってかつては「メルグイ（MERGUI）」と呼んでいたのである。

こんな事情とわたしの無知が相携えて、わたしにイエーとPYIとが同じ地名だと思い込ませてしまったのだと思う。とにかくわたしはPYIに行く時刻表を見て、切符を購入したと思い込み、そのつもりで夜行列車に乗り、着いたとばかり思って降り立った駅が何と全く正反対のヤンゴンから二〇〇キロメートル北部にある「ピー（PYAY）」だったのだ！　しかもわたしは「PYI」と「ピー」は表記が異なるものの、同じ町だと思っていたので、南部のイエーの町に着いたと信じて疑わなかったのである。

ところで、ピーの町の人は自分たちの町をピャイではなく、明らかに「ピー」と発音していたので、この間違った英語表記にわたしが幻惑されてしまったのも無理はなかった。これだけの手違いだけで、結果としてわたしは北の町ピーに行ってしまったのだ。

さて、八月一一日、ヤンゴン中央駅に切符を買いに行くと、職員いわく、今日は列車が運休で、明日からは毎日出ると。その上、切符は中央駅では発売していない、チケット売り場はボーギョ・アウンサンロードのサクラタワーの対面にあると。なぜそんな離れた場所にチケット売り場を設けなければならないのかてんで理解できなかったが、仕方なく炎天下、歩いてそこへ出かけ切符を求めた。ここでも、窓口の職員は親切に色々説明をしてくれた。それによれば、切符は一日先の分しか売らないという。今日は三時に閉めるので、明日出発の切符はもう発売することができない。よって、明日来て明後日の切符を買うのが最も早く出発する方法だというのである。

翌日、再びそのチケット売り場へ足を運んでみると、たくさんの人でごった返している。昨日行った窓口にもすでに長蛇の列ができていたので最後尾に並んで待った。するとすぐわたしの後ろに六、七歳ほどの娘を連れた母親が続いた。ようやくわたしの番が巡ってきたので説明を聞く。座席は特別席(Upper Class)が一三ドル、つぎのクラスが一〇ドル、普通席が五ドルとのことだったので、わたしはUpper Classを指定した。職員はわたしのパスポートを見ながらまた切符の上にボールペンで書き込んでゆく。こうしてわたしはPYI行の切符(わたしはこれがイエー行の切符だとすっかり思い込んでいた)を手に入れたのである。

翌日の正午前、ホテルをチェックアウトして、歩いても近いヤンゴン駅へと向かった。発車は一三時だったが、何が起こるか分からないので早めに出たのである。四番線に行ってみると、すでに列車は停まっている。どの車輛がUpper Classか分からず、見るとFirst Classとあったので、ここかと覗いてみると、タイでいえば三等列車なみの粗末な座席。また歩いてゆくとUpperという標示を発見する。それが三輛あり、ミャンマー数字だけの標示なので、どの車輛かが分からずウロウロして係員を探したがいない。その時、ひとりの少女がわたしの顔を見て笑顔を作ったので、よく見ると昨日切符を買いにきていた母娘だった。少女がすぐ母親に知らせたので、母親もわたしに気づいた。丁度よかったと切符を見せて、五号車へと案内してもらった。この親子は二号車だと言ったがそれはわたしの隣の車輛である。つまり三号車、四号車がないのである。親子に訊いてみるとPYIへ行くと言うので、何かあったら助けてもらおうと思いつつひとまず別れた。

五号車に入り、わたしの指定席A5の座席を探す。座席は左側に二人用が一〇席、右側の一人用が一〇席並んでいて、総勢三〇人の指定席になっている。A5の座席は丁度車輛の真ん中に位置している一人用の座席で、隣の二人用座席同様、ここだけ他の座席より広い空間になっていて、特別に私的に使用できる食卓があり、一番よい恵まれた席なのだ。これは高い外国料金を払ったのでそうしてくれたのか、外国人のわたしに敬意を表して（他の二九人は全てミャンマー人）与えてくれたのかは定かではなかったが、わたしにとっては長い道中、ゆったりした気分ですごすことができるので大いにありがたかった。この座席はひとりで使用するには大き目で、クッションもあり、背もたれもリクラインできるようになっている。しかし、車輛は日本ならとっくの昔にお払い箱になっているような代物で、旧態依然もよいとこで古くて汚い。この点タイとは大違いだ。窓は二重の作りになっていて、ひとつは鉄製（アルミか）で他はガラスではなくプラスチックでできている。わたしの目の前の席には、中年の男が座っていたが、何やら本を読んでいた。かなりたくさんの荷物を持ち込んでいる。

列車は定刻一時に出た。わたしも初めは持参した小説を読んでいた。ところが睡眠不足がたたっていたので、すぐ眠くなってきた。目を閉じると、車輌が大きく横に揺れているのに気が付いた。まるで荒海に翻弄された小舟のように揺れるので、体の方も右に行ったり左に傾いたりしている。これでよく脱線しないものだと感心するくらい揺れている。

さてそれが収まると、今度は縦に激しく揺れだした。これもまた尋常ではない。まるで馬の背中に乗っているように上下に体が動くのだ。他の乗客に目をやると、ちょうど一定のリズミカルな揺れに合わせて、皆一斉に上に行ったり、下に行ったりするので、そろって何かの体操をしている風に見え、おかしくて仕方がない。そのリズムと音が子供の頃、お祭りで仲間と奪い合った神輿のタンスのリズムにそっくりなのである。終点のPYIに到着するまでほぼ一〇時間、この縦揺れは続き、その都度、乗客の体の激しい上下運動が繰り返された。横揺れの方も何度かやってきた。前の車輌が右に揺れている時には私の車輌は左に揺れ、左に揺れている時には右に揺れるように交互に揺れた。両車輌の差が最大になると、前の車輌の体の半分が臨まれるほどだった。

そのうち雨がきた。急いで皆窓を閉めたが、それでも雨は吹き込んでくる。後ろからわたしの座席に雨が降ってくる。扇風機はあれど使う必要はなかったので止まったままだ。空は曇天、車内は暗く、人の顔も見分けがつかない。景色はずっと平野が、ちょうどタイのバンコクからカンボジア国境の町アランヤプラテートに行く時に見る湿地帯と同じである。

時折、人家の集まる部落を過ぎてゆくが、そのどの家も家と呼ぶにはあまりにも粗末な造りだ。わたしの手でも一日もあれば組み立てができてしまうような、竹や木の幹や葉でできたあばら屋である。数年前、巨大サイクロンがこの国を襲い、一五万人以上の人々が亡くなったばかりだが、こんな掘立小屋ならひとたまりもないに違いない。

やがて夜のとばりがおりた。車内の蛍光灯はいくつか点灯されてはいてもそのどれもが小さくて暗い。停車する駅には蛍光灯のない駅もあって、やはりひどく暗い。駅員の作業する姿がまるで影絵の中の人物のようにぼんやりあたりの風景にとけて浮かんでいる。送電線があったので、人家や街路には灯が入り、とりあえず明かりは確保されてはいても最小限度にとどまっている。遠くの方に明かりが認められる時など、六〇年代の東海道線で田舎の地方を走っている時に感じられたわびしさが思い出された。窓外には時折、ホタルの光が列車の進行とは逆にひと筋の火となって流れてゆく。そんなこんなで小一時間ばかり遅れて夜半一一時PYIに着いた。ところが、駅の標示はPYIではなく、PYAYとなっていた。そしてわたしはこの時点ではまだ南部のイエーに着いたとばかり思っていたのである。

さて、わたしは南部の港町イエーにいるとばかり思い込ん

国鉄ピー駅

でいたので、翌日すぐにもアンダマンの海に行き、望む島嶼に渡る術を考えた。もちろん徒歩で海辺まで行き、その浜から臨まれるメルグイの島に外国人が訪れることが可能か否かを調べるつもりでいた。ところが、たまたま食堂で知り合ったソンテオ（両側に長椅子の座席を造り、乗合バス風にしたトラック）の若い運転手に訊いたところ、意外にも一番近いタントレという海辺の町に行くにも夜行バスに乗って行かなければならないとのことだった。わたしはこの時点で多少おかしいと疑念を持ったとはいえ、彼の言に従ってその海の町に出かける算段をした。ところがこれがひと筋縄では行かなかったのだ。そのいきさつは別の機会に譲るとして、この二日後ついにわたしはこのピーという町が本当にヤンゴンから北に二〇〇キロメートル離れた上ビルマの歴史ある町だったと判った次第なのである。

ふとしたきっかけで、わたしはこの町に住むひとりの青年と知り合った。彼は数年前、茨城県の水戸市近く、合気道で有名な岩間町に修行に出て、かの地で数年合気道に励み帰国した。三段の腕前で目下この町で道場をかまえて多くの弟子を指導している男だった。何より日本語が達者で、わたしには何かにつけ便利なミャンマー人として接してくれた。その彼がこの町が南のイエーではなく、北の町ピーだときっぱりとわたしに告げた。とにかく、この言葉でわたしはようやく目が覚めた。わたしは間違って南へ行くところを北に来てしまったのだと今やはっきり

どこでもよく見かけるアウンサン将軍像（ピー）

悟ったのだ。そうだとすればとるべき行動は一つしかないではないか。素直にヤンゴンに引き返すしかない。

そこで、善は急げ、ピーの駅舎へ出かけ、件の手続きを経てヤンゴンまで復路の切符を買った。料金はやはり一三ドル。出発は翌日、今回は夜行の旅である。しかし、列車は来た時と同様で寝台車ではない。

駅までは合気道君がバイクで送ってくれた。彼は誠に優しい青年でわたしの荷物を持って座席まで案内してくれた。座席は一号車のまたまたA5。ところが今回はなぜかテーブルはついてはいない。汽車は二三時三〇分、大きな汽笛を鳴らして出発。夜風が窓から入ってくる。初めのうちは涼しく感じていたが、そのうちちょっと肌寒くなってきたので、上着をはおり、バスタオルをお腹に巻いた。相変わらず外国人はわたしひとり、他の乗客は全員ミャンマー人だ。車輌はもちろん横揺れ縦揺れが激しい。

そして眠る。ところがしばらくすると、背もたれが体型に合わず首がだるい。そこへ切符の点検。蛍光灯が薄暗いので、車掌は懐中電灯を照らしながら確認作業をしている。トイレなどに立つ客も、懐中電灯持参で車内を歩いてゆく。彼らは事情を心得ていて、懐中電灯を旅行かばんに忍ばせてきているらしい。わたしはとにかく眠らないと身体に悪いので、あっちこっち色々体の位置を変えながら眠る。相も変わらず激しい横揺れと縦揺れが起こり、その都度目を覚ましてしまうあまり快適とはいえない行旅ではあったが、それでも無事翌朝ヤンゴンに到着できたことはなんとしても幸いなことであった。

その III　二〇一二年一二月七日(金)、八日(土)、一二日(水)、一三日(木)——モールミャイン(モールメン)、タトン、バゴー(ペグー)

前回の鉄道の旅で、南部島嶼を訪れるつもりが、ちょっとした勘違いが元で、北方の上ビルマの町ピーに行ってしまったという大失策をやらかしたわたしだが、その後もこのアンダマン海に浮かぶメルグイの島々への旅を諦められるはずもなかった。むしろその希求はますます募るばかりであった。あれからすでに一年三ヶ月が経っている。わたしは勇んでバンコクの部屋を飛び出して三たびヤンゴンの地を踏んだのだった。この間、わたしはひとかどのミャンマー通になっていたので、もはや前車の轍を踏むことはない。

すぐさま南の海を目指して旅立とうとしたわたしの前に、思わぬ伏兵が立ちはだかった。下痢である。元来、消化器官の強くないわたしは、これまで二五年間、タイを筆頭にインドシナ半島の国々の都市や地方の田舎を旅してきたが、数限りなく腹痛と下痢に襲われた体験をもっている。胃腸の炎症がひどく、激しく嘔吐してそのまま這いつくばって便器を抱えて動けなくなったことも一度や二度ではない。ところが、である。それらの症状とは異なり、前回ピーと今回ヤンゴンでの下痢はこれまで生涯経験したことのない、明らかにレベルの違った下痢であった。とにかく昼でも夜でも、辛くてベッドに横になっている間、何だか湿っぽくて気色が悪いなと下着をあらためてみると、全く自覚がなかったにもかかわらず、便が出てきてしまっていてもうどう処置もできない状態になっているのである。洗濯したところでもはや二度と穿くことはできないほどになって、その下着は捨てざるをえないことになった。前後してミャンマーへの旅を七回重ねたわたしだったが、下痢をしなかったためしは一度としてなかった。

ヤンゴン入りして五日目、ようやく下痢が一段落したのを機会に、はやる心を抑えながら国鉄のチケット売り場を訪れた。前回は長蛇の列を作っていた客が、不思議にも今回は窓口全て閑古鳥が鳴いている。暇を持て余した窓口の職員が声をかけてきたので、南線の終点ダーウエイまで列車で行けるか尋ねた。するとモールミャインまではいけるので、まずそこまで行って、その先に行けるか行けないかはモールミャイン駅で訊いてみるようにとのことである。これは少し可能性がない訳でもない。とにかくモールミャインまでは行ってみよう。ダーウエイまで行ければラッキーだが、かりに行けなくてもモールミャイン周辺を旅して回ろう。そう心に決めてそこを辞し、わたしはその足でヤンゴン中央駅まで歩いて行き、国鉄ツアーインフォメーションを訪ね、同じ質問を試みた。すると先ほどのチケット売り場の職員とほぼ同じ返事が返ってきたので、わたしは安心したのである。これまで主としてタイでそうした情報が誤っていたり、あまつさえウソだったりが当たり前のように通用していたので、わたしはこうした情報を鵜呑みにしないことにしていたのである。

二日後、わたしは改めて切符を買いに出かけた。初め出てきた職員はよく分からないのか同僚を呼んだが、その職員は一昨日説明をしてくれた人で、わたしを見るなり、やあ、来たのかといった感じで、スムーズに切符作りをしてくれた。愛想が良いというより心が良いというのが伝わってくる。わたしが持参した時刻表は改定になってしまったらしく、新しい時刻表を見せてくれた。それによると、モールミャイン行き（特急か急行）は一日三便あるというので、体調が回復するのを勘定に入れて、三日の猶予をとって七日の二一時発を買った。Upper Classで一六ドル。

さて当日、発車は夜九時なので、余裕をもってタクシーで七時半に中央駅に行く。それでも気の早いミャンマーの人々はすでに大勢やって来ていて、待合室は人いきれでムンムンしている。驚いたことに、蒸し暑くてやり切れないこの駅舎の中で、列車を待つほとんど全ての乗客が、どこか寒い土地へでも行くかのように、長袖の防寒服に身を包んでいる。ところが、わたしといえば薄いカジュアルな半袖のTシャツ一枚きりなのだ。

八時にプラットホームに入り、列車を待つ。昨年はなかったテレビがホームの上方から吊下げられ、その前には真新しい椅子が設置されて、乗客が外国のドラマ（フィリピンあたりか）をしきりに眺めている。ちょうど一五年ほど前のタイの地方駅が新しくなっていったのと同じだ。

ジャスト九時、定刻通り発車。万事にルーズなあのタイ国鉄に比べ立派という他はない。機関車の車輛は前回のピーと同様で、わたしの座席もその時と同じUpper Classのひとり用。列車はヤンゴン郊外をゆっくり走ってゆく。そのうち次第に窓外の闇が深まって、景色は墨絵の世界に変わってゆく。それ

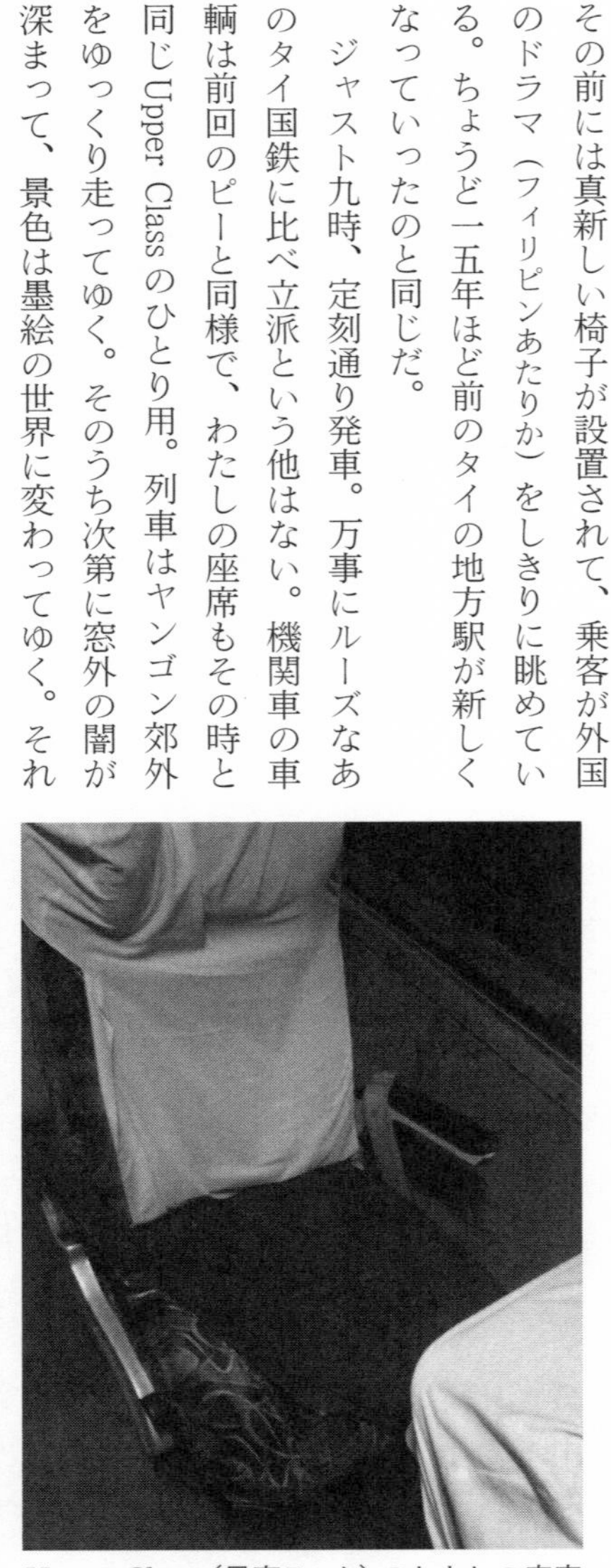
Upper Class（最高ランク）のわたしの座席

と同時にスピードもどんどん増してゆくようだ。それに合わせるように、恒例の横揺れ、縦揺れも始まり、特に縦に大きく揺れると、乗客が一斉に飛び跳ねる感じがおかしくて仕方がない。

わたしのすぐ隣の二人用座席には、インド系の上品な婦人が幼子を抱きかかえながら無言で座っていた。前後の席には頭部だけが見えたがどちらも中年の男のようだ。左斜め前方の席に若い男の乗客が三人ばかり、しょっちゅうたばこを吸っては灰を通路に散らしていた。その煙が風でちょうどわたしの方へ流れてくるので臭くて仕方がない。この車輌はUpper Classだが、この男連中は明らかにLower Classの人間だ。もうかなりの客がケイタイを持っているので、その音も車内に響く。毎度のごとく私以外はオールミャンマー人だ。

初めは窓から入る夜風が涼しかったが、それぞれの客が寝入る時刻になると、涼しさを越して肌寒く感じられた。窓はどの窓もほとんど全開、乗降車口も開いたまま、車輌と車輌の間は仕切りのドアもなく、外へと吹きっさらしである。あらゆる所から車内に烈風が入り込み通路を吹き抜けてゆく。わたしは窓を閉め、疲れと睡眠不足でひたすら眠ることに努めた。どれほどの時間が経過したのか、深いのか浅いのかも分からない眠りの中で、冷たい風を浴びている自分が感じられた。要するに寒さ

隣の座席のインド系親子

で目が覚めたのだ。見れば、ほとんどの窓は閉ざされている中で、わたしの前の座席の窓だけは開け放たれたままになっていて、そこから入った風がもろにわたしの体を直撃してくる。そのうち悪感まで覚えて体がガタガタ震えだした。すかさずTシャツをもう一枚身に着け、下にはパジャマのずぼんまで穿いて、さらにバスタオルで腹部を覆った。隣のインド系の婦人も赤ん坊を毛布のようなものですっぽり包（くる）み、胸の中にでもしまい込むように抱いて眠っていた。

　前の男が目を覚まし、ちらとこちらを向いたのを逃さず窓を閉めるように頼んだ。それでも寒さを防ぐことはできないで、それからはあまり眠ることはできなかった。わたしは今初めて、ヤンゴン駅の待合室の人々がなぜ防寒用の服を着ていたのかを納得した。以前、北タイのメーサイで暮らしていた頃、冬の季節になるとビルマ降ろしの寒風が吹き荒び、電気ストーブぐらいは欲しいと切に思った。わたしは寒さ凌ぎに厚い皮ジャンを買い込んで外出着にしていたものだ。熱帯とはいえどもやはり冬は寒いのである。

　やがて朝がやってきた。車内が明るくなるにつれ、乗客もひとり、またひとりと目を覚ましてゆく。窓外には見なれた農村の風景がゆっくり流れてゆく。わたしは朝日を浴びたそれらの景色をケイタイで撮ってみる。われらが汽車はさながら悠然と泳ぐ魚にも似て、相も変わらずその巨体を揺らしながら走っている。しばらくして、タンルウィン河（以前のサルウィン河）に架かる大鉄橋を渡ると、平行に走っていた国道上を激しく往き交うさまざまの車がこちらの列車をいとも容易（たやす）く追い越してゆくのが見える。ついに自転車にさえ先を越されてゆくが、列車は速度を変えようとはしない。この国もタイ同様、車に先行されて鉄道はいつまでもこのまま捨て置かれる運命にあるのか。鉄道よりもバスが発達してしまい、家庭電話よりもケイタイやスマホが先に普及してしまうイビツな発展をしてゆくのである。

八時半頃か、二時間遅れて列車はようやくモールミャイン駅に到着した。たくさんの乗客がプラットホームに降り立った。全てこの国の人々だ。彼らはそそくさとそれぞれの方法で市街に立ち去った。気が付けば、わたしだけがひとりポツネンとだだっ広い駅舎の中に取り残されていた。辺りは静かで寂しい限りだ。とりあえず用を足そうと構内をウロウロしていると、二階からひとりの男が階段を降りてきて、わたしを見るなり声をかけてきた。トイレを探しているのだと言えば、ついて来いと言う。プラットホームまで戻り、端の方まで歩いてゆく。彼は自分はtrain policeだと言った。わたしが切符とパスポートを示し、実はダーウエイまで行きたいのだがと切り出すと、そうかと頷いたが、自分は駅員ではないので判らないと気の毒そうに答えた。ともかくトイレということで、教えてくれたプラットホームの一番端（遠い！）まで歩き、一〇〇チャッ払って用を足した。

戻ってみると、彼は待っていてくれて、一緒に聞きに行こうと誘ってくれた。まず切符売り場に行って尋ねてみると、反対方向のオフィスへ行くように告げられた。そこでダーウエイに

国鉄モールミャイン駅

鉄道で行きたいと言えば、外国人は相ならぬと期待せぬ即答が返ってきた。わたしが思案気にしていると、バスでなら行けるだろう、一〇時間はかかるが……と言ってくれた。だとすればまだ望みはある。ともかくこの町に泊まって、バスを当たってみようと考え、その職員に手ごろなホテルを紹介してもらった。train police の男も町まで行くバイクタクシーを探してくれ、一〇〇チャッで行けるように交渉してくれた。わたしは運転手に荷を渡してから、ポリスに感謝の気持ちを伝え、お礼に一〇〇〇チャッ紙幣一枚を差し出した。ところが、受け取った彼はその札を何と運転手に渡そうとしたのだ。わたしは慌ててそうではない、運転手にはわたしが別に払う、それはあなたにあげたのだと言った。すると彼は、そんなことをする必要はないとそれを私の手に返そうとした。要らないというのだ。タイではありえないことである。わたしの方も引くわけにはいかないので、強引に彼のポケットにその札をねじ込んで、急ぎバイクの後ろにまたがって発車するように促した。すかさずわたしの背中にお礼の言葉が追いかけてきた。後ろを振り返ってみると、巨大な殿堂のような駅舎がひとり寂しく立っていた。タイもそうだが、鉄道の駅舎はその町のはずれの人家のない、不便な空き地に置いてけぼりをくったようにひっそりと佇んでいるのが多いが、このモールミャインの駅舎もその偉容を郊外のさら地にさらしていた。

その日、宿泊したゲストハウスのチーフをしているカレン族のスタッフに早速、ダーウエイまで行けるかどうか尋ねた。彼は無理だろうと言った。諦めず翌日、近くに屯(たむろ)しているバイクタクシーの運ちゃんに再び質(ただ)してみた。彼も同様行くことはできないと断言した。側にいたバングラデッシュ系の運ちゃんもそうだと言う。わたしがなおも執拗に国鉄職員はバスなら行くことができると言ったがと畳みかけると、即座にかりにバスに乗ることができたにしても、すぐ警察に捕まって有り金全て没収されるだろう、そうでなければ道中ゲリラがバスジャックをする可能性もあり、そうなれば金銭だけでは済まず、命までも危うくすることになるだろうと警告した。わたしの計画が二転して不可能になったのであれば、もはやいさぎよく諦めるしか方法はないだろうと内心思っていると、彼が助け舟の気持ちからか、コータウン（KAWTHOUNG）までは飛行機で行けると言ってくれた。ミャンマー最南端のコータウンの町はわたしがかつて訪れたことのあるタイのラノーンの町に接している。小舟で海を三〇分も走れば国境を越えることができる。コータウンに出て周辺の島々に渡ることが可能なら目的は達するわけだし、できなくてもそのままラノーンに抜けてバンコクに帰るのも悪くはあるまい。彼の言葉に一縷の望みを託してみるかと思った矢先、すかさず彼が航空会社のオフィスに自らのケイタイで電話を入れてくれた。これにはわたしも脱帽だ。ところが、今月はフライトは休み、来月になれば飛ぶようになる、と聞いて、またしてもわたしは意気消沈。これでわたしのダーウエイ行は完全に断たれたことになる。

もはや観念してこれまで考えていたように、わたしはこのモン州のモールミャインで四日間滞在した。その間日帰りだが、川なのか海なのかもはっきりしないタンルウィン河の河口に浮

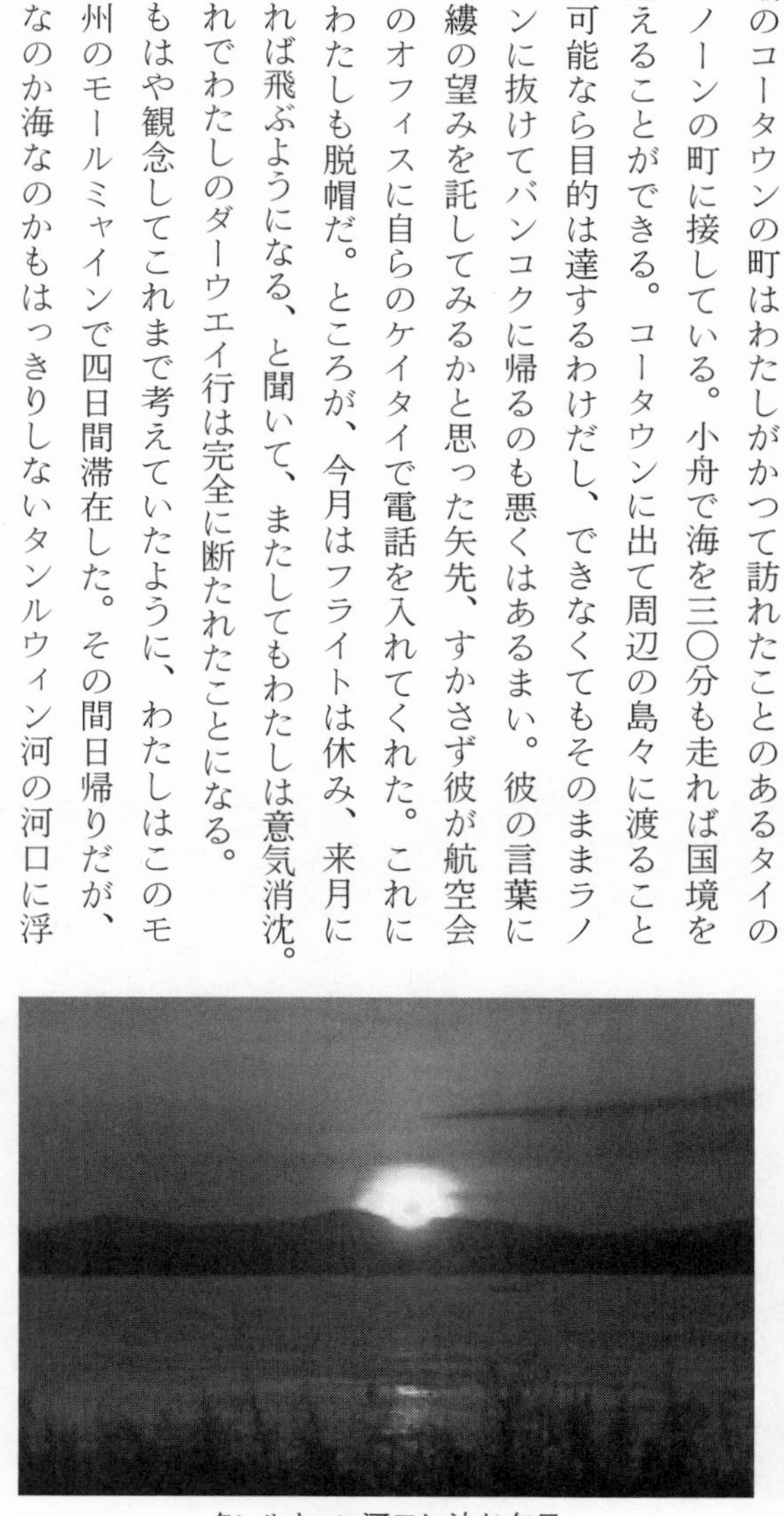

タンルウィン河口に沈む夕日

かぶ淡路島ほどのビルギュン島を訪ねて、そこで暮らすモン人の生活にも触れてきた。モールミャインの人々の暮らしを見るにつけ、彼らの生活が経済的にはもちろん精神的にも本当に豊かなことを実感して、流布されている世界の最貧国だという知識は一体何だったのだろうかと考えざるをえなかった。

八〇数年も前、このモールミャインの町で、若き警察官として働いていたかのジョージ・オーエルが「ビルマは世界でもっとも豊かな国のひとつ……、地上の楽園」と書いていると、エマ・ラーキンはその著『ミャンマーという国への旅』（晶文社）の中で語っている。わたし自身、もしこれまで旅した異国の町の中で、もう一度訪れたい町はあるかと問われれば、躊躇なく「モールミャイン」と答えるだろう。このことは別の機会にぜひ改めて書いてみたいと思っている。

わたしはヤンゴンに戻ることにした。途中の町タトンまでの切符を手に、一二日の夕方、モールミ

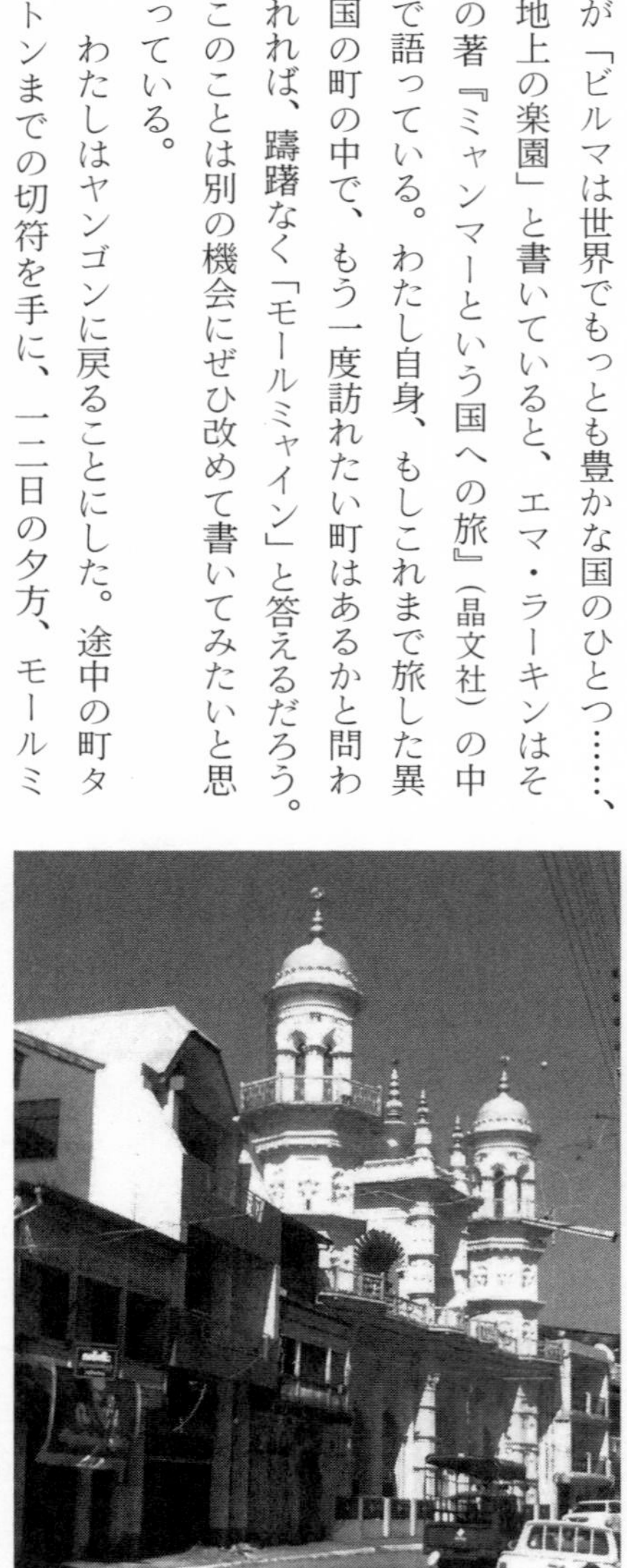
イスラム教巨大モスク

ビルギュン島のモン人の母子

ャインの町を後にした。タトンまではたかだか一時間四五分、そこで夜七時三〇分発の汽車を選んだ。Upper Class、四ドル。

モールミャイン駅に着くと、もうプラットホームには上りの列車が入っていた。わたしはすぐに車内に入り、指定席に収まった。通路をはさんで隣の座席には国鉄職員が三、四人座って雑談を交わしている。すると、一番近い席にいたひとりがわたしの腕を軽くたたいた。よく見ればわたしがモールミャインに着いた日、助けてくれたtrain policeの男である。あの日は私服だったが、今日はバッチリ制服に身を包んでいる。それでわたしの方は気づかなかったのだ。彼は胸のポケットから一〇〇〇チャッ札を一枚出して、これをこの日本人がくれたのだと仲間に言った。この人がいてくれればタトンに着いたら教えてもらえると心強く思っていたら、走ってしばらくすると、じゃあ、と挨拶して去って行ってしまった。きっと持ち場が違い、Upper Classの座席が居心地がよいので、発車するまで皆で寛いでいたに相違ない。

発車までにはまだ間があり、そうこうしているうちにひとりの僧侶がやって来て、また隣の席を占領した。するといきなり立ち上がるなり、袈裟を脱いでパタパタはね上げ埃を払っている。袈裟がわたしの頭にも掛ったが、一向にわたしには無関心を装っている。なにもわたしの目前でやらなくても

普通の民家だが豊かさをしのばせる豪邸

少し動けばいくらでも場所があるのに、あえてわたしの側でパタパタはたいて埃をわたしに向かって散らしている。どう考えてもわたしへの当てこすりとしか言いようがない。それからカバンらしきものを置いて、外へ出て行ったかと思うと、しばらくして戻ってきて、そのカバンを持って他の車輛へ移って行った。つまるところそこは彼の席でも何でもなかった訳である。

七時半、列車は発車した。しばらく走ると、外はもう闇が迫ってきて、車内はボンヤリと明かりが浮かんでいる。慣れてはいるが、その車内でひとり異国人の身のわたしは初めて旅愁を覚えた。郊外の山には壮大なパゴダがライトアップされ、三つも四つも黄金色に光っている。わたしが訪れた寺々だ。中にはエレベータを使って本堂まで上がっていく巨大な寺院もあった。窓越しに暗い景色を眺めながら、わたしはすることもなく列車の揺れに身をゆだねながら、ひたすら物思いにふけっていた。

列車は自転車ほどの速度で、それでも実直なミャンマー人のごとく、ひたむきに走りに走ってゆく。列車がタトンに近づいてきたのか、車内にいた係員がわざわざわたしの許にやって来て、降りる用意をするように言ってくれた。きっとあのtrain policeがそうするように伝えてくれていたのだろう。一〇時半、やや遅れてタトン駅に着く。プラットホームに降り立ったのはわたしひとりだった。

タトン駅のプラットホーム

タトンはカイン州（旧カレン州）・カレン族の州都である。すぐ次の行先バゴーまでの切符を確保しておこうと駅員に告げると、ついて来るようにと手で合図をするので、言われるままに部屋に入ってゆく。続いてもう一つ奥の部屋にひとりの職員がデスクに座っている。その男にヤンゴン発モールミャイン行の切符を見せ、紙に書いて説明しながら帰りの切符が買いたいと告げると、今日は買えないと素気ない。そして当日、発車の一時間前に来て買えば問題ないと言った。外国人はすべからく一日前に購入すべしと教わっていたので、念を押すと大丈夫だと言い張った。判った、この男は英語が書けないので、切符に書き込みができない。それで今切符を作ることができないだけなのだ。会話をしてもほんの少し英単語が出てくるだけですこぶる要領をえなかった。

駅舎の外へ出てみると、駅前周辺には人っ子一人いない。一軒だけ営業している店に明かりがあるだけで、人家はもう闇の中に沈んでいる。どうやら駅周辺には宿がないらしい。頼みの綱のバイクタクシーや人力車（サイカー、一三四ページ参照）も全く見当たらない。戻って駅員に尋ねてみても、何人かが鳩首凝議（きゅうしゅぎょうぎ）はすれど一向にラチがあかない。いよいよダメなら駅の構内にでも寝るかと思いかけているところへ、救いの主現る。窮すれば通ずである。

その男が何のためにこのような夜更けに駅に出現したかについては、最後まで定かにすること能（あた）わず。藁をもつかむ思いのわたしにとってそんな事情はどうでもよく、ホテルがあったら教えて欲しいと頼んでみると、幸いなまりのある聞きづらい英語ではあったが、意思疎通はできそうだ。自分が探してやるから一緒に来いと言う。この際誰でもよいという思いで同行を願いついてゆく。

しかし、われわれはえらく難儀を強いられた。暗い、人気のない道を三〇分歩いても宿らしい建物にはお目にかかわらない。彼がtrain roadと教えてくれたアスファルトの道をトボトボとひたすら歩き、右折をすれば宿があるとの言を信じて行ってみると、あるにはあるが鉄の扉はかたく閉ざされ、それでもようやくのことで主らしき人が下りてきたが、即座に空室はないと断られてしまった。引き返して、ようやくホテルらしき宿の明かりを頼ってゆくと、やはり満室とのこと。進退極まっていたら、相部屋でもよいかと声がかかった。そうして投宿に成功したので、彼にお礼を一〇〇チャッ渡そうとすると受け取らない。面倒なので手の中に押し込んで、素早く宿の中に姿を消してしまった。ミャンマー人はなんて遠慮深いんだ。

実はこのタトンに来た理由がひとつあった。かつてわたしがタイのメーサイでひとり暮らしをしていた時、そのタウンハウスの隣の部屋にSさんという高齢の日本人をお誘いしてそこに住むことができるように配慮したことがある。彼はあのビルマ戦線で英軍の捕虜になったが、脱走を試みて何日もジャングルをさまよい歩いたあげく、カレン族の村に辿り着き、村長の家にかくまってもらったのだ。やがて村長の娘と結婚して、二人の娘の父親となり、その村で十年生活したところを、ビルマ軍に捕縛され、ラングーンの刑務所に護送された。そして一年後、日本に強制送還されて、故郷の愛知県に帰還した。その折には、愛知県知事を初めたくさんのひとびとが彼を岡崎の駅頭に出迎えたという。彼と同様、ミャンマーには国籍を隠してミャンマー人になりすまし、現地の女性と結ばれて家族をつくってきた元日本兵がたくさんいたのである。もちろん、今ではその子孫がミャンマー人としてかの国のあちこちにとけこんでいる訳である。

まもなく彼は郷里で結婚し、家庭を築いて子供も得、市井の人として生活を送っていた。しかし定年退職を機にビルマを再度訪れ、タイで一人暮らしをするようになった。わたしが知り合ったのはその頃である。わたしの隣に越してからしばらく経って、彼はビルマに残してきた妻子にどうしてもひと目会いたくなったと言って、五十年振りにかつて暮らしたカレンの土地にひとり出かけて行ったのである。その地がタトンの町だったのだ。戻ってきた彼に娘と孫（連れ合いはすでに亡くなっていた）に会ったことを、わたしはつぶさに聞かされた。いつしかわたしはなぜかそのタトンという町が大きく、賑やかな町だと思い込んでしまっていたのである。

翌朝、駅まで歩き、ふたたび切符を求めた。デスクの男が英語で話しかけてきたが、その態度からどうやら駅長らしかった。昨夜とは打って変わってたいそう親切で、すぐ部下にバゴーまでの切符を作らせた。Upper Class、八ドル。

駅長のこの部屋に荷物を置いておいても構わないという言葉に甘えて、わたしは一時間弱町をぶらついた。帰路道に迷い、ようやくのことで駅に辿り着いてみると、発車時刻の一〇時三〇分が迫っていた。急いで荷物を受け取ってホームへ入ろうとした矢先、昨夜のお助けマンが目の前に現れた。改めて宿探しのお礼を言って、彼をわたしの指定席A10に誘った。前夜の話や住所交換をしているところへ、切符の検札に来た係員が切符を点検するなり、突然お前の席はここではない、ただちに自分の席に移動せよと言うなり、別の男にわたしの荷物を車外へ出させた。なす術もなくわれわれも外に出て、発車するかもしれないと思いながらも彼の後を追った。男が指定した車体を見上げると、確かにUpper Classと銘が打ってある。ところが車内を覗いてみると、座席にはカバーもない、薄汚れた四人ボックス、壊れかかったようなガタピシャする窓。Upper ClassといえばFirst Classより上等で一番良い指定席だが、この車輛は誰が見ても一目瞭然三等車なのだ。とっさに検札の男が、めったに外国人は乗らないので、何か誤解したのだと判断し、すぐ元の車輛まで走って戻った。そして係員に、座席のA5の表示と切符の表示を照合させた。汽笛が鳴って列車はゆっくり動き始めた。やがて速度が加わってきた時、お助けマンは名残り惜しそうにデッキから飛び降りて消えていった。

昼間なので窓外の景色がよく眺められ、わたしはケイタイで写真を撮った。とある駅に停車すると、プラットホームにおびただしいスイカが山積みになっている景色に出遭ったりした。売り手が乗客に向かって大声で買うように怒鳴っている。実際、この国のスイカのデカイこと。ラクビーボールの形で優に一〇キロは超えているのもある。こんな大型のスイカはこれまで見たこともない。ただし惜しむらくは味はいまいち。ヤンゴンの路上市場よりまだ安く、タダみたいな値段である。乗客の中には降りて行って二個ばかり肩に担いで持ってきて、座席の下に押し込んだりしている者もいる。スイカはまた車内販売でも人気のある売れ筋の品である。若い娘さんが布を丸めて頭の上に置き、その上にたくさんのスライスしたスイカを盛った金属製のお盆をのせて上手にバランスをとりながら車内を歩いてゆく。熱い体に水分を補給し、一服の清涼感を味わうには恰好の果実である。

巨大スイカ

車内を見渡して気づいたことがある。わたしの前のA9の座席にひとり、少し離れた前方のテーブル付の座席に四人、西欧人の客が乗っていたのである。これまでの列車の旅で、洋の東西を問わず、外国人に出会ったのは初めてのことだ。そしてわたしは実にほほえましい光景を目撃することができた。その四人組の西欧人はおしゃべりしたり、食事をしたりして十分列車の旅をエンジョイしている風に見えたが、ご多分にもれず、テーブルの上には紙くずや食べ残しやでゴミがあふれていた。そこへ車内係員が二人やって来て、それらのゴミを片付け始めた。そしてテーブルの上をきれいにして、ゴミは全て自分たちで持ち去って行ったのである。しかもその後も係員たちはやって来てゴミの後片付けをした。

西洋人の国籍は知る由もなかったが、彼らの政府がミャンマー軍事政権に厳しい経済封鎖をしていることは無きにしもあらずであっただろう。ところが、この係員たちはそんなことには全くお構いなく、本来汚した人間たちが片付けなければならないテーブルのゴミを、親愛のまなざしをもって丁寧に始末しているのだ。わたしはこれまでこの国の人々が政治や体制がどうあれ、自分たちの生活をそれなりにしっかりと営んでいる現実を足で歩いて確かめてきたのであるが、この国鉄職員のさりげな

車内のスイカ売り

い行為の中にも庶民の心の一端を垣間見た思いがしたのである。

パゴーには夕刻五時頃着いた。ここは昔、ペグーと呼ばれた町である。旧日本陸軍がビルマに入り、ここを拠点に各地で英軍と戦いを展開して行ったのだ。わたしは偶然にもその頃日本軍の通訳として働き、日本兵の所業をつぶさに知るミャンマーの老人から話を聞くことができたが、それは改めて別の箇所で書いてみたいと思っている。

バゴーで三泊して、一六日の朝バゴー駅へ向かった。オフィスでUpper Class四ドルのヤンゴン行き切符を買った。いよいよ今回の汽車の旅もこれが最後だ。驚いたことに、座席は列車が到着しないと判らないので、その時決めると言うのだ。要するにコンピューターシステムではないので、列車が入ってきて空席を確認しない限り、どの座席かは指定できない訳である。そこへひとりの職員が自分はStation masterだと言って握手を求めてきて、汽車が来たら案内させるから待っているようにと言ってくれた。

発車は一二時だが、これまでの経験から三〇分は遅れて来るだろうから、あと一時間半近くある。荷物を預け、ひと回りしてくることは十分可能だが、旅の疲労が蓄積しているので、待合室のベンチで待つことにした。テレビが一台設置されていて、視ると何か外国のドラマをやっているが、会話の

バゴー（ペグー）の駅舎

言葉を聞いても何語か判らなかった。ミャンマー語の字幕が出ている。インドシナ半島の国々なら、その語調からどこの言語か判るが、そのどの言葉でもない。

ようやく一二時半頃アナウンスがあり、客がプラットホームに移動を始めた。わたしはオフィスへ出かけ案内を請うた。Station masterが若い駅員を案内人に付けてくれた。彼はわたしの重い荷物を肩に担いで、急な階段を登ってゆき、またプラットホームの階段を下って行った。ホームで待つ間も、駅員はずっとわたしの側を離れずに待機していた。

列車を待つ間、また心温まる光景に接した。片脚を失っている少年が自家製と思われる竹の松葉杖をついてわたしの近くに座っていた。わたしがほほ笑みながら汽車に乗るのかと指さしたら、そうだと指で答えてきた。隣にはインド系の婦人が座ってトウモロコシを食べている。先ほど待合室に家族（夫

わたしが泊まった宿。怪しげなネオン看板だが、部屋は普通の健全なホテル

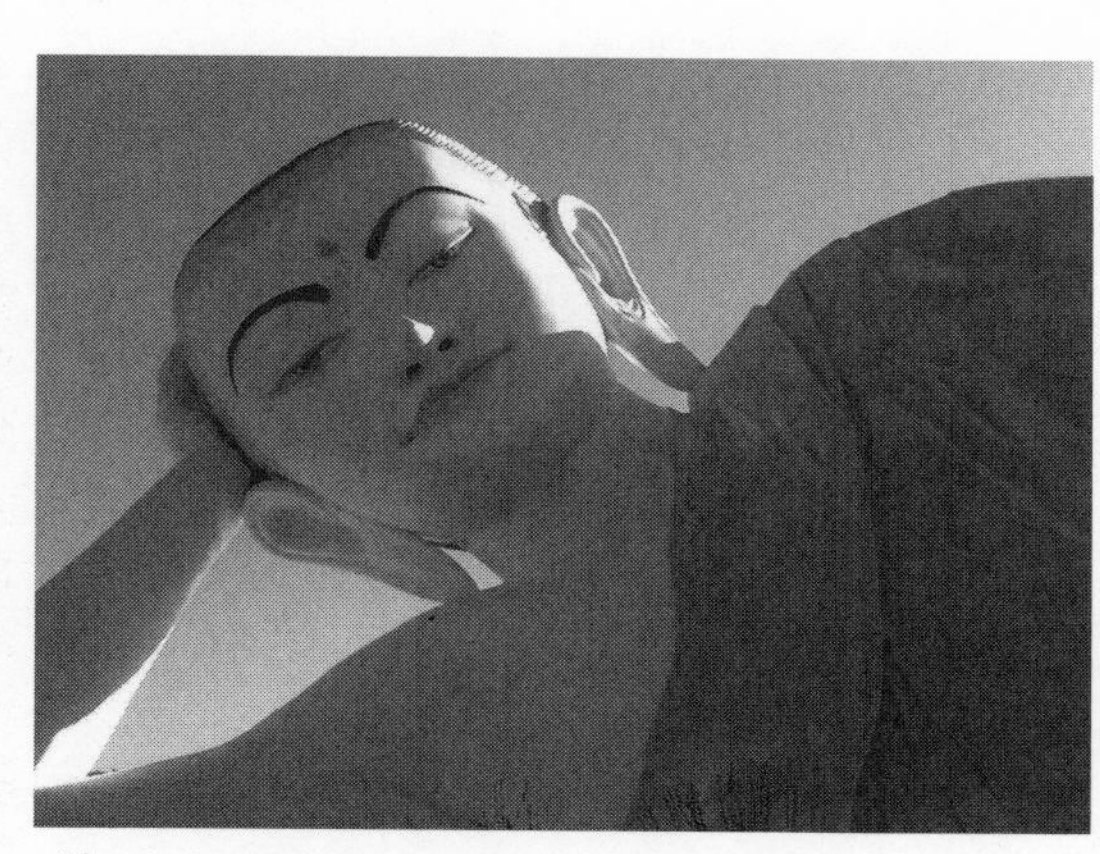
造りなおされてできたてホヤホヤのバゴー（ペグー）の巨大涅槃像

婦と子供二人）で待っていた姿をわたしも知っていた。裕福そうな感じの麗しい婦人だった。その母親が少年に話しかけちょっと会話をした後、バッグから財布を出してまるで息子にでもあげるように、少年になにがしかのお小遣いをあげたのである。見ていて実に美しい光景だった。一般にこのような人々は近頃の日本でもそうだが、逆に見て見ぬ振りをするものである。

待ちくたびれた頃、ようやく列車が入ってきた。われわれはUpper Classの車輌に入り、駅員がそつなく空いている一番よさそうな座席を選んで、切符にA６と記して渡してくれた。そしてどこへ座っても構わないとも付け加えた。彼は笑顔だけを残して再び階段を登って戻って行った。

一二時四五分、発車した。またしても外国人はわたしひとりであった。ヤンゴンまでの車窓からは、来るとき同様バンコクからアランヤプラテートへ行く列車から臨まれる風景にも似て、田野が広がり、湿地が見られた。いよいよヤンゴン近くになったと思っていると、突然見るからに豪邸と呼んでもよいような、まだ新しい家々が軒を連ねて並んでいるのが遠望された。中には目下建設中の建物もかなりある。これは一体どんな種類の人々の住居なのであろうか。列車は予想通り三〇分の遅れ、二時間半かかってヤンゴン駅に到着した。

そのⅣ　二〇一三年八月三日（土）、四日（日）、一四日（水）、一五日（木）——バガン、マンダレー

わたしはかねてより一度はバガンを訪ねてみようと思っていた。九世紀、この国の祖先たちがモン帝国を亡ぼして、その仏教文化を享け継いで王朝を打ち立てた。いわばミャンマーのルーツがそこにはある。二〇一三年の七月二〇日、ある仕事のためにバンコクを発ちヤンゴンに飛んだ。

ミャンマー人の友人Nさんが、かつての日本陸軍に属した南機関*でアウンサン将軍たちの独立運動を援助した野田毅が、ビルマ戦線の最中記していた日記が本になったので、ぜひ翻訳したいとわたしに話した。その本『秘録・ビルマ独立と日本人参謀　野田毅ビルマ陣中日記』(溝口郁夫編、国書刊行会)の中で、これまでアウンサン将軍の知られざる一面が明るみにでるなら翻訳して出版する意義はあろうと考えたわたしは彼に協力することを約束した。その翻訳本をアウンサンスーチーさんに献呈したいと言う。すでに少しだけ抄訳したのをアウンサンスーチーさんに読んでもらったとも言った。ところがいざ始めてみると、何としても成し遂げたいという彼の熱意とは裏腹に、その日本語能力に限界があり、とてもミャンマー語に移し変える力量は残念ながらないと判断せざるを得なかった。彼はヤンゴン市内で日本語学校を運営し、ミャンマー人に日本語を教えていたので、わたしは彼の能力を信頼していたのであるが、どうやらその能力を買い被っていたのである。

この企画が頓挫したので、わたしには自由な時間がたくさん残った。この機会を利用してバガンの旅に出ようと思い立ったのである。わたしはまた国鉄のチケット売り場へ出かけ、バガンまでの切符を手に入れた。この国に寝台車があるのをこの時初めて知った。わたしはすぐ下段ベッドにして欲しい旨強調したのは言うまでもない。これまでの列車の旅で揺れの酷さを知っていたので、上段ベッドではとても眠ることはできないと判断してのことだった。職員はとても親切な人で、こちらの希望は

＊旧日本軍の対ビルマ工作の特務機関。一九四一〜四二年に活動し、ビルマ独立義勇軍(のちのビルマ国民軍)の結成に関与した。

全て聞き入れてくれ、パスポートを見ながらたちどころに切符を作成してくれた。四〇ドル。夜行寝台、一五時間半の長旅である。

二日後、だいぶ日が傾いてきた頃合いに、ヤンゴン中央駅に行った。しばらく待合室で過ごしてから、一番線のホームに入った。結局、寝台のある車輌は一輌だけで乗客はほとんど外国人だ。中に入ってみると、ひとボックスに上下段ベッドが二組つまり四人が寝るようになっていて、ドアも閉めることができるので、完全に四人の空間になる。わたしのD室はわたしとドイツ人の若い男が二人、計三人だった。わたしのベッドの上段には乗客がいないことが分かってわたしは喜んだ。ドイツ人の二人連れは友人同士だったようだが、話はするものの静かである。われわれは最後まであまり話すことはなかったが、お互い相手を気遣って暗黙の心の通じ合いがあった。ただ、夜中わたしが扇風機を切るといつの間にかまた回り始めていたので、再び切り、目が覚めてみるとまた回っていたというようなことはあった。

とにかく掛けるものは一切なし。手ぬぐい様タオル一枚と小さな石鹸は当てがわれたが、そのタオルも早朝車掌が回収にやって来た。タイ国鉄の寝台に比べるとオソマツ極まりないのだが、運賃は三倍と高い。

夜中、トイレに起きて便所まで歩いてゆくのが至難の業。通路が狭く、右に左に、上に下に揺れるので体を壁や窓にぶつけながら行かなければならない。さらにひどいのは小便を出したり止めたりしながら用を足すのだが、タイミングを外すととんでもない所へ飛んでいってしまうことだ。何かにつかまり、足をしっかり固定してかからないと、体が揺れて目的が成就できない危険極まりないトイレ事情なのである。

二段ベッドにしても同様であることはもちろんであった。車輛の激しい揺れに直接連動するベッドに体を固定することが難しくて、両手でベッドの端を抱え込んでいないとベッドから放り出されるので、それに注意を集中するあまり、なかなか睡眠を呼び込むことができない。トイレに起きてベッドに戻ってきていざ寝ようとした時、激しい揺れに抗しきれずに、上段のベッドの端にしたたか頭をぶつけてしまい、しばらくはその痛みで眠ることができなかった。

ドイツ人の方はわたしの比ではなかった。わたしでさえ寝返りもできないほどの狭いベッドにあの図体の大きな男が寝るのだから、その苦労は推して知るべしである。案の定、上段に寝ていた方がひどい縦揺れが起こった瞬間、ベッドから転落しそうになり、やっとのことでその長い脚を使ってベッドに留まることができたのをわたしは見ていた。むろん彼はベッドに留まることに精一杯で一睡もしていない様子であった。これ以上そのままいては危険だと悟ってか、とうとう彼は下に降りて相棒のベッドにもぐり込んだのだった。ところが大男二人分の体を小さなベッドが収容できるはずもないので、彼らは頭と足を逆さにして、相手の足を抱き合うようにしながら寝についたが、果たしてその窮屈な体制でいかばかりか睡眠にありつけたかは想像するに難くない。

そんな夜を経験して目覚めてみると、汽車は平原の疎らに木が生えている風景の中をひた走りに走っている。時々、部落のある地帯を通り過ぎるが、人家はほとんど草葺で、わたしでも造れるような規模のあばら家である。畑にもやせたトウモロコシが植わっているだけで、やはり生活は貧しいという一語につきる。そんな中で唯一大きく、きれいな建物があるが、それは言わずと知れたパゴダ（お寺）

だ。バゴーのいくつもある巨大なパゴダを見るにつけ、人々が貧困に喘いでいるにもかかわらず、どうしてお寺だけはこんなにも立派なのかと不審な思いにかられたが、今また山腹にその偉容を誇るかのように聳え立っているパゴダを眺めやっても、この膨大な建設費用は誰が負担しているのか、もし貧しい人々から集めた資金だとしたら、また聖職者の食を彼らがまかなっているとしたら、そんなことは後回しにして、まずこの苦しんでいる民を助けるのが筋というものではないのか。

もうひとつ腑に落ちないことがある。それは雨季にもかかわらず大地が乾燥して水気がないことだ。特に汽車が橋を渡る時、下には川が流れているはずが、ここも干からびて川底がむき出しになって、もはや川ではなくなっているのである。中には早々と草木が繁り小さな島もつくられている。それでも水は一滴もないのだ。これは一体どうしたというのだろうか。わたしは初め、上流にダムでも造り川の水を堰き止めて、下流に水を放流しないのかと想像してみたのだが、どうやらそれは間違っていたようだ。それはこの国の地勢に関係していて、南部に行けばいくほど雨量が多く、北へ行けばいくほど少ない。七月、八月は年間で最も雨が降り、ヤンゴンでは一か月間雨の降らない日は四、五日である。わたしが雨季の頃何度かヤンゴンに滞在した印象では、とにかく来る日も来る日も雨で、雨の止むわずかの間隙をぬって外出する以外、まるでホテルの部屋に軟禁されてでもいるような状態であった。それに引きかえ、上ビルマでは雨が少なく、事実この日バガンに着いてから毎日、太陽は照り、雨は時折しか降らなかった。その後、マンダレーを訪れても雨に遭うことは少なかった。統計にはヤンゴンの約六分の一しか雨は降らないとあった。わたしはタイのメーサイで一年九か月ほど暮らしたことがある。雨期には度々豪雨を経験していたので、それより緯度の高いバガンやマンダレーにしても同様に雨に見舞われると考えていたのである。

さて、一時間遅れでバガン駅に到着。一六時間半の長距離の汽車の旅である。朝方の駅舎は涼しい空気につつまれて、静かに佇んでいる。多くても一五、六人だと思われた外国人は早々と駅から去って行き、わたしひとりだけが残された。数日後、マンダレーに行く計画を立てていたので、列車の状況を聞いておきたかったのだ。案内所で尋ねてみると、朝七時発の一日一便、運賃は一〇ドル、所要時間は七時間とのことだった。やはり切符は一日前に購入する必要があるとのこと。

と、ちょうどその時、寝台車の係員だった男がわたしの許にやって来て、これをと言って一冊の本を渡してくれた。それはミャンマー語の教本でわたしがベッドの枕元に置いておいたものだが、どうやら忘れてきてしまったらしい。それにしてもすでにだいぶ時間が経っているし、だいいちもうわたしがどこへ行ってしまったかも分からないのに、よくも探しあててくれたものだ。礼を述べて受け取ったが、すぐ駅舎を去ってしまっていれば届かなかったに違いない。やはりミャンマー国鉄の職員は信頼できると改めて思った。またしてもタイではあり得ないことである。いつぞや、タイの急行列車に乗った折、食堂車に行ってみると、勤務中にもかかわらず、乗客に誘われてtrain

国鉄バガン駅

policeが飲食を共にしているのを見たが、あまつさえ彼は自分から部下を数人呼んで相席させて饗応にあずかっていた。このようなことはタイでは決して珍しいことではない。

外に出てみると、巨大な寺院のごとき駅舎の周辺には全く人家はなく、人影もない。あのモールミャインの駅舎と同様極めて不便な土地にあったのだ。ただひとりいたタクシーの若い運転手が近づいてきて高い料金（一五〇〇〇チャッ）を吹っかけてきた。バガンの町まで一五キロあるから当然だと言わんばかりなので、わたしは要らないと宣告した。ヤンゴン市内から空港までのはるかに長い距離でも彼の言い値の三分の一なのだ。これまでの経験から、大通りまで出ればなんとかなると思い、彼を無視して歩いてゆくと、しばらくしてわたしの横に車が止まった。彼いわく、どうせ町まで帰るから三〇〇〇チャッで乗ってくれないかと今度はいたって低姿勢である。見れば、タクシーとは名ばかりで、小型トラックだ。後ろの荷台には汚いゴザが敷いてあるだけ。もちろんわたしはようし乗ろう！と言って助手席に飛び乗った。彼は愛想よく車を走らせ、無事にバガンの町に私を送りとどけてくれた。

わたしは結局、バガンからマンダレーまで鉄道の旅を諦め、バスで行くことに決めた。理由は前日に切符を買いにバガン駅まで行くのに、往復の車代がバガン・マンダレー間の鉄道運賃

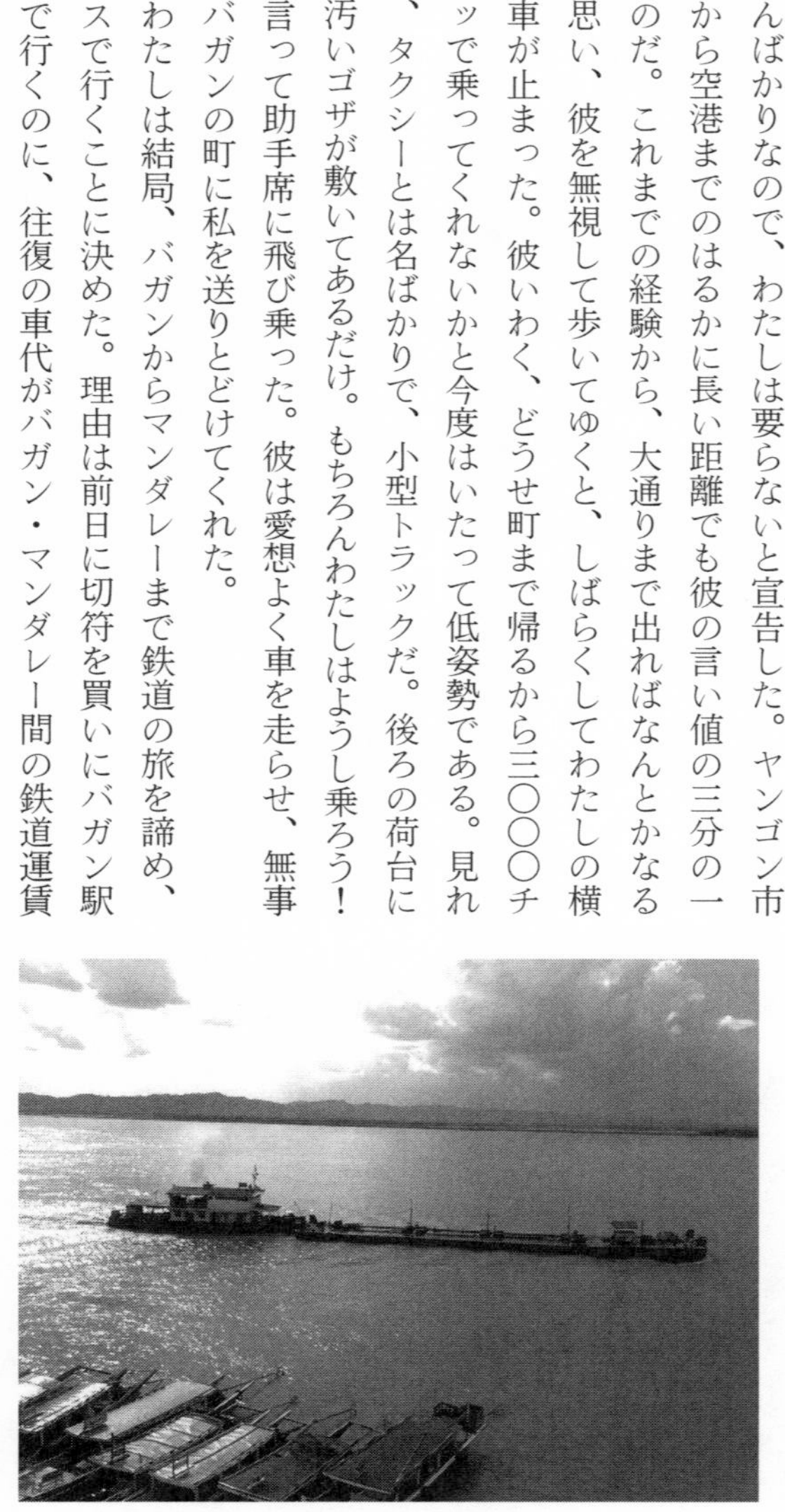

エーヤワディー河中流域（バガン）

を軽く上回ってしまうからだった。さらにバガンの町に入るに際し、驚いたことに一〇ドル徴収されたのだが（町に入るだけで金銭を支払うなんて！）、切符購入後町に戻る時、再び一〇ドル徴収される恐れがあったからだ。バガン遺跡を訪れたり、滔々と雄渾に流れるエーヤワディー河（イラワジ河）に想いを馳せたりして五日間滞在した後、バガンを去り五時間かけてバスでマンダレーに移ったのである。バガンと比べマンダレーという町はわたしにとってそれほど居心地よいものではなかった。それは日を改めて記すことにして、最後のミャンマー国鉄の話に戻ろう。

ヤンゴンのミャンマー人の知人に紹介されたMya Mya Ayeさん（四八歳）。彼女は目下バガン遺跡巡りの観光案内をしながら両親の「NATION RESTAURANT」を手伝っている。バガンで最も格式高いレストランだったが、現在は斜陽を迎えている。わたしは毎晩通ったが、常に客はわたし一人であった。

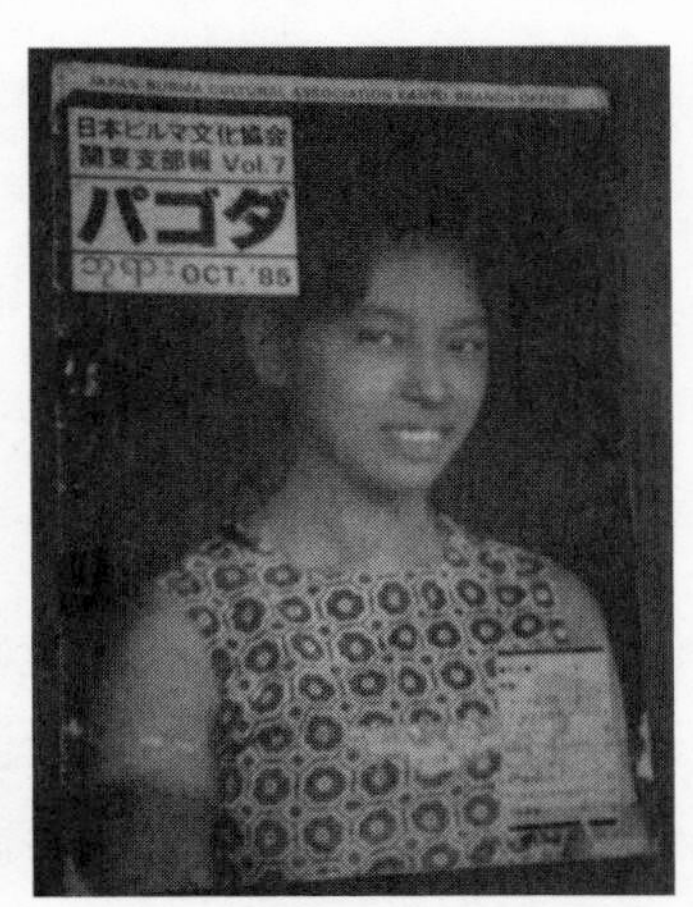

マンダレー大学の学生時代（20歳ごろ）、Mya Mya Ayeさんは日本ビルマ文化協会にその美貌を買われ、会誌の表紙のモデルになった。

マンダレー滞在を終え、ヤンゴンに戻る日が迫っていた。わたしは地図を頼りにマンダレー駅まで歩くことにした。事前に切符を購入する必要があったからだ。窓口でメモ用紙を見せ少し言葉を補足した。すると職員は親切に応対してくれ、しばらく待っていると切符を作成して渡してくれた。今回も下段のベッドを所望したが、そのこともきちんと銘記されていた。通路に職員用の机と椅子がひと揃えあったので、切符を確認するには恰好の場所と座って切符を見ていると、そこに座る職員がやってきた。立とうとすると座っていてもよいと言ってくれたので、甘えて座っていると、その切符を丁寧に点検してくれた。それから地図を見せろと言うので見せると、色々アドヴァイスをしてくれる。英語の発音がよくなくて分かりにくかったが、親切を無にしてはならじと聞いた。王宮見学に行くと告げると、すぐバイクタクシーを呼んで交渉してくれた。とにかく親切すぎると思われるほど厭わずしてくれるのである。

八月一四日午後一時三〇分、バイクタクシーでマンダレー駅へ向かった。到着して二〇分ばかり待つと、ヤンゴン行列車が入ってきた。そのSuper Class SleeperのＡ３の席に落ち着く。発車までまだかなり時間があるので、売店に行ってアンパン、あめ、漬物を買い込み、写真も撮った。ホームの一

国鉄マンダレー駅

角に書架があり様々の本類が納まっている。自由に読むこと可とあったので、英文の本を二、三冊手に取ってパラパラページをめくってみた。さすがはミャンマーだ。タイの駅舎では二五年間、この様な文化的サービスは一度も見たことはない。

わたしのコンパートメントに戻ってみると、隣のベッドに中年の男がひとりポツネンと座っている。ミャンマー人と察して、「ミンガラバー」と挨拶し日本人だと言うと、気の好さそうな笑みを返してきた。英語をしゃべるがそれほど上手という訳でもなく、わたしとチョボチョボである。お互い発音が悪く聞き取りにくい。

列車はとりあえず定刻の三時に出た。相棒は早くも寝てしまった。わたしは

マンダレー王朝の王宮

王とその妃

例によりひとり窓外の景色を眺めている。そのうち雨がきた。ベッドが濡れるほどになってきたので窓を閉める。相棒の窓はそのまま。雨が入ってきても一向に起きる気配はない。雨のつぶてが顔面に容赦なく降り注いでくると、ようやく起きて窓を閉めにかかった。そこで少し話を交わしてみた。お互いに相手の素性が少しずつ分かってくる。彼はエンジニアで、以前韓国に仕事で出かけ、その帰途船で日本に寄ったことがあると話した。アウンサンスーチーさんが京大の東南アジア研究センターに留学した年号まで覚えていた。わたしはその時代アウンサンスーチー女史の先生だった矢野暢教授がスエーデンの王立科学アカデミー会員でノーベル賞選考にも関与していたであろうから、教え子の平和賞受賞もバックアップしたのではないかと語って聞かせた。

しばらくしてから、彼はウイスキーの角瓶を取り出して、それを水で割り、窓外の風景をさかなにちびりちびりとやりだした。わたしにもやらないかと勧めてくれたが、わたしは無風流この上ない下戸なので飲めないと言って断った。その時ウイスキーの入ったコップを右手に持っていた彼が、やにわにそれを窓の外へと突きだし、手を水平にして、上下にリズミカルに振りながら踊りだした。何事が起ったのかわたしには咄嗟に判断がつかなかった。列車が縦揺れを始めたのを感じて、ようやくそ

間もなく発車するヤンゴン行夜行寝台列車

の踊りの意味が飲み込めた。揺れのリズムに合わせてコップを上下にうまく操らないとウイスキーがこぼれてしまうのだ。縦揺れが起こる度に彼はその踊りを踊っている。実に巧みで、上手にリズムに乗せるので、一度もウイスキーはこぼれない。横揺れはまだしも、縦揺れが起これば座っているベッドから体が浮き上がってしまいちっとも固定しないのだ。前世期の遺物としか言いようのないこの鉄道は今やアフリカにだってありはしない代物ではないか、地球上にこんな列車が走っているのは恐らくこの国だけではなかろうかと思われた。

食堂車のボーイがディナーの注文をとりに来た。初めは断って買い込んできたアンパンを齧ったが、少し足りないのでパックブン（空芯菜）のオイスター炒めとライスを注文した。ところが間もなく戻ってきてパックブンはないと言う。ではチャーハンをと頼むと、その前に注文を済ませていた相棒が、わたしのディナー代は任せておけと言ったようなので、「ノー」と強く遮った。果たしてボーイが先に彼の食事（目玉焼き二個とライス）を運んできて、次に私の分も運んでくると、彼がボーイに支払いをしたので、わたしも自分の一五〇〇チャッをボーイに渡そうとしたが、ボーイはこの人が払ったので必要ないと受け取らない。相棒もいいんだ、いいんだと言っている。よくない、よくないとわたしも言い続け、ボーイにこの人におつりと一緒に渡せと半ば強いるように握らせた。ところが相棒がそれを再びわたしの方へ戻した。それはいけないとわたしも声を大にして彼に手渡した。彼はそれを受け取らず皿の下に置いた。やがてお数を全て平らげてしまった彼が、ライスがまだ残っているので、ボーイが運んできた辛いタレの付いた生キャベツをお数に食べだした。その合間にはウイスキーを口に流し込んでいる。そこへボーイがオムレツを持ってきた。すると相棒がまた一五〇〇チャッを返すと言ってわたしに押し付けてきたので、わたしは受け取らず、このオムレツをいただくからお金はそちらに納めて欲しいと言った。彼はめんどうくさそうに今度はロールペーパーの下に置いた。機会をねらってまた返すつもりなのだ。わたしもオムレツを食べた。だいぶたって彼も食事を完了した。おもむろにまた一五〇〇チャッを取ってわたしのベッドまでやって来て、強引にわたしの掌の中に入れようとしたので、わたしも必死になってそうはさせじと頑張った。とにかく受け取るように彼を促し、ありがとうと礼を言った。そしてヤンゴンに着いたらタクシー代にしましょうと提案すると、ようやく自分のカバンの中に入れた。わたしの宿泊するホテルが彼の家の近くにあるので、一緒にタクシーで行こうと約束していたのである。

さて、列車が停っている間に急いで用を足してくるともう外は真っ暗、何もすることはない。消灯して二人で寝についた。彼はついに角瓶を空にしていた。わたしの方はだいぶ眠れぬ状態だったが、いつの間にか寝入ったようだ。ところが、スピードが増してくると縦揺れが激しくなり、体をベッドに固定しておかないと浮き上がってくる。震度六や七の揺れ以上か。上段ベッドに客が寝ていなかったのがせめてもの幸いというものだ。頻繁に激しい縦揺れが起こり、ご飯を食べている時もうまくしないとチャーハンを盛ったスプーンが鼻に衝突したり、あごに当たったりしかねない。まず顔をチャーハンの皿に近づけ、スプーンに山盛りに盛る。縦揺れが一瞬治まったら間髪を入れず〇・一秒の速さでスプーンを口の中に放り込まねばならない。失敗したらチャーハンは床に散乱してしまうのだ。だから寝ていても縦揺れのリズムに体をうまく乗せ、収まるまでそうしていなければならない。深夜、ついに最高の頻度で縦揺れが起こり、相棒は暗闇の中とうとうベッドに座って外の黒い景色を眺めるに至った。わたしといえども寝てはいても、もはや眠りに入るなどできるものではなかった。とにかく体をベッドから離れないようにキープするのがやっとである。どこかの駅に停車した折、また急いでトイレに行った。相棒がまた寝だしたので、わたしも真似をして横になりわずかでも眠るように努める。そしていつしか本物の眠りに落ちたようだ。

一五日早朝、全体でどれくらい眠ったか見当もつかない。誰かがわたしの体をつついている。ふと目を覚ますと相棒だ。そして言った。ヤンゴン駅だ。ケイタイの時計を見ると、六時一五分。なんとまあ一五分予定より早く着いたのだ。マンダレーの国鉄職員が言った言葉が頭にのぼった。わが国では何事においても大雑把でキチンとはいかない。なのでヤンゴンに六時三〇分に着く予定になっているが、それはあくまで予定であって、もっと遅く到着するだろう。これがわたしが明朝ヤンゴン駅には何時に到着するのか尋ねた時の答えだったのだ。それがこともあろうに予定より早く着いてしまうなんて。またまたタイではありえないことである（三時間以上遅れても平気の平左）。

まあとにかくよかった。無事に着いて。いち時は脱線でもしたらどのように車内から脱出するか、その方法も考えたのだから。気の早い相棒はマンダレーで仕入れてきた大きな花束を腕に抱え、特大のリュックを背負っている。そして早く支度をするようにわたしを急か（せ）せた。ようやく荷物を整え、彼と共に下車。一緒にタクシー乗り場まで行った。すぐ彼が交渉してくれ、二人共車内の人に収まった。まずわたしが予約してあるホテルへ。わたしのE-mailアドレスのメモを彼に渡し、メールして欲しい旨伝える。そして彼と別れた。

Ⅳ　ヤンゴン五景

そのⅠ　アウンサン将軍邸のプルメリア

わたしが初めてアウンサン将軍邸を訪れたのは、二八日間の観光ビザをたっぷりフル回転させて、四回目のミャンマーの旅に出た二〇一三年の四月二八日のことである。

この旅の第一目的は南部島嶼メルグイアーキペラーゴの島々に渡り、手つかずの熱帯雨林の植生を観察することだった。だが現地に行ってみると、外国人には門戸が閉ざされていることを知り、あえなく引き下がってヤンゴンへと舞い戻って来たばかりであった。

「BOGYOKE AUNGSAN MUSEUM」が正式名称である。建国の父と呼ばれているからには単なる私邸ではなく、今や歴史的記念館になっている。ヤンゴン市の郊外にあるこの地区は閑

アウンサン将軍邸

静な住宅街に違いなく、アウンサン将軍が家族と共に居住していたころはかなりの豪邸であったはずだが、今では周辺にそれを凌ぐ三階建の大きな家屋敷などが連なっている。近くには日本大使館もある。日曜日であったが、訪れる人はそれほど多くはなく、国外からの見物客はわたし一人で、あとはミャンマー人ばかりであった。入館料も三〇〇チャッ（三五円）と安く、他の観光施設では外国人料金（主に米ドル払い）を徴収する所が多い中、現地人と同額であった。カメラ持ち込みは不可で、写真の撮れるケイタイ電話も貴重品の入ったバッグも預け、身ひとつで邸内に入って見学することになった。

アウンサン将軍一家がこの屋敷で暮らしたのは一九四五年から四七年のわずか二年ほどである。それは彼が暗殺されこの世を去ったからだ。建国のため十年間、闘いに闘ってようやく家族とすごせるようになった矢先、独立を目前に三二歳で銃弾に斃れた。館内には当時の彼と家族の生活を偲ぶことができるように、什器や調度品が展示されている。また全館どの部屋にも将軍と家族の写真が飾られている。

一階（GROUND FLOORと英語表記）には大きな部屋が二つ、食堂と居間がある。食堂の中央には木製の大きな矩形の食卓が据えられ、同サイズの椅子が十脚並んでいる。両端にアウンサン将軍と妻のドー・キンチーが向かい合って座る席、将軍の右斜めには長男のアウンサンリン、それに続いてゲスト用の椅子が三脚、ドー・キンチーの右斜めに長女のアウンサンスーチーの席がある。一歳か二歳のアウンサンスーチーがこの大人用の椅子にどんな格好で座り、どんな風に食事をしたのか在りし日が偲ばれる。食堂と二階に通じる階段をはさんでホールのような居間があり、中央には椅子に座って読書するアウンサン将軍の像が整然と鎮座している。

二階（FIRST FLOOR）に上がると、右手と左手にそれぞれ二間ずつ部屋が並んでいる。右手の手前は寝室で将軍夫妻用の特大のダブルベッドが置かれ、その右方の角には円筒形の空間が外に塔を形成している。おそらく見張り用の塔に違いない。寝室の奥は将軍の書斎になっていて、右側にはなぜか二脚椅子が収まった長机、正面にはガラス戸付きの書架が設えてある。中に並んだ書物を確かめてみると、二四〇冊すべてが英書であり、ビルマ語の本は皆無であった。アウンサン将軍の教養が宗主国イギリスの書物によって培われたことが伺われる。彼だけにとどまらず、当時のビルマ知識人たちの教養がイギリスを通じた西欧近代文明の精神を求めていたことは明らかである。

さて左手の部屋であるが、手前はそれほど広くはない「SPECIAL MEETING ROOM」になっていて、特に親しい人間と将軍が話しているのを彷彿とさせるように木製の応接セットが窓明かりを反射して静居している。その隣が子供たちの寝室で、大人用と見まがうベッドがすき間なく三台並んでいる。左端がアウンサンスーチーのベッド、あと二つが兄たちのベッドになっている。まだ一、二歳の嬰児が両親と離れてこのような身の丈に余るベッドで眠っていたのか

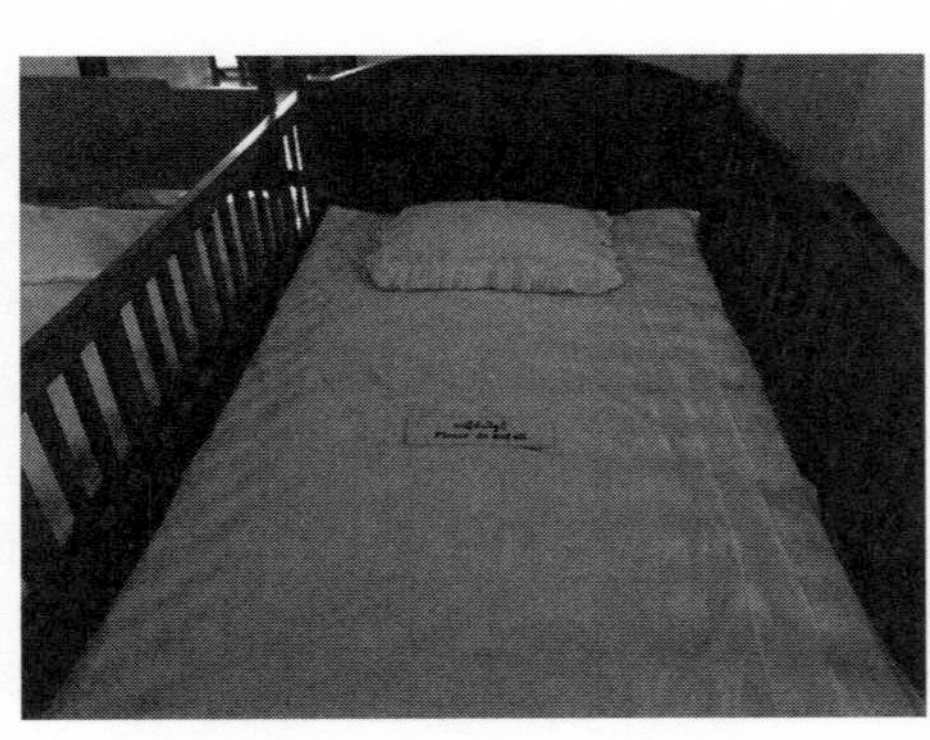
アウンサンスーチー用（1～2歳時代）のベッド

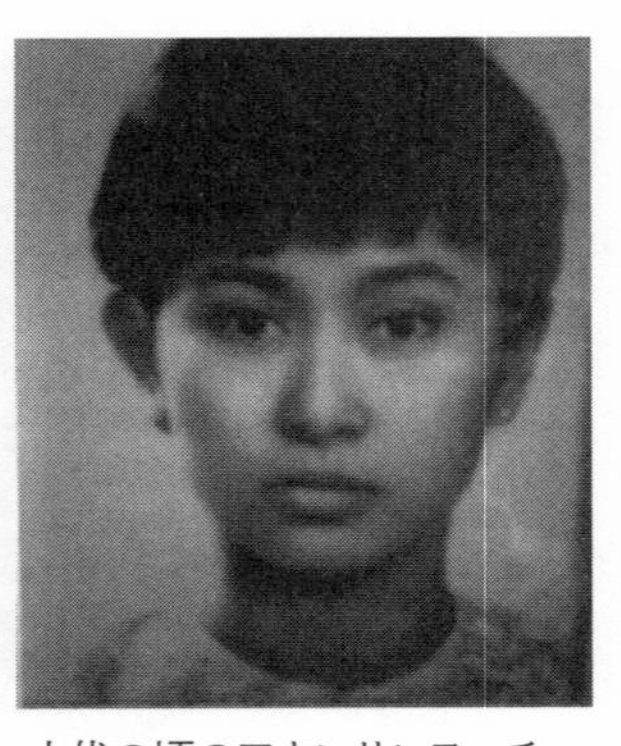
十代の頃のアウンサンスーチー

と想像すると少々切なくなってくる。

ところでひとつわたしが不思議に思ったことがある。アウンサン将軍は当時パサパラ（反ファシスト人民自由連盟）の最高指導者として完全独立目指して闘っていた人物なのに、自宅に訪ねて来る親族も含めて客が宿泊する部屋を持たなかったことである。人は泊めない、これが彼の流儀だったのか。

プルメリアの木と花

さてさて、アウンサン将軍のことは別稿に譲るとして、ここでわたしがテーマとしたいのは、将軍の屋敷に辿り着く前に、訪れる人に挨拶をしてくれるプルメリアの木と花である。実のところ、この初回の訪問で、わたしはこのプルメリアの花の歓迎にとりわけ心を打たれたわけではなかった。すでにタイでの長い生活の中で、また度重ねたラオスへの旅で、この熱帯植物の花とは久しくなじみになっていたからである。そんなわけで、特に注意深くこのプルメリアの木を眺めたわけではなかったのだが、ただ一つわたしがこれまで抱いていたこのキョーチクトウ科に属するプルメリアという植物の概念からアウンサン将軍邸のプルメリアが逸脱していたことが気になったのである。つまりわたしはこのようなプルメリアの木に咲く花をこれまで見たことがなかったと言えばよいのか。

そのわたしが初めて見たプルメリアへの疑問とは次のようなことである。普通、植物図鑑などではプルメリアは低灌木と記載されている。確かにタイ（特にバンコク）で見るプルメリアはわたしの背丈よりは高いのだが、高木ではなく低灌木に属する体（てい）の高さである。しかるにアウンサン将軍邸のプルメリアの木は空を見上げるようにして仰ぎ見なければ全体が視野に入らないれっきとした高木なのだ。とはいえ、高木だからわたしが驚いたわけではない。なぜならバンコクでも場所によっては高木のプルメリアを見かけるし、ラオス（ビエンチャン）ではプルメリアの木はすべからく高木だからである。それゆえラオスでは高木で花をたくさん咲かせ、香りのよいこのプルメリアの花を国花にしているのは故なくしてではない。

わたしが発見し驚いたのは、アウンサン将軍邸のプルメリアの木が高木にもかかわらず、大きな花弁を備えた花がしかもいくつも集団で束になって咲いていたことなのだ。ところが、また話を反転させて恐縮なのだが、このような大きな白い花を集合させて六つも七つも咲かせるプルメリアの木をわたしはタイでしばしば見ているので、それ自体は驚くにあたらないのである。しかしそれらはいずれもすべて低灌木のプルメリアの木であった。要するに、高木でしかも大きな形の花を集団で咲かせていたアウンサン将軍邸にあるようなプルメリアの木は初めて見たということだ。

その謎をどう解いたらよいのか。無論わたしのような植物オンチ風情に解けるはずもないのだが、わたしにもう一度観察できる機会が巡ってきたので確かめに出かけてみたのである。四年たってア

将軍邸のプルメリアの高木

ウンサンスーチー政権が誕生し、外国人に閉ざされていた南部のマレー半島に陸路で旅ができると知り、また二八日間ビザを十分活用して、まずタイのチャンタブリーから陸路でミャンマーのダーウェイの町に入った。それまで数えきれなく繰り返してきた出入国の中でこの時ほど難儀な国境越えをしたことはなかった。

それからバスや列車を乗り継いでヤンゴン入りを果たした。その折（二〇一七年三月二六日）の日曜日、自由時間を使って二度目のアウンサン将軍邸を訪問したのである。この時も訪れる人は圧倒的にミャンマー人が多く、わたしはまた異邦人として彼らに混じって見学した。しかし今回はカメラ撮影が解禁になっていて、貴重品の入ったバッグも持ち込み可であった。ただし入館料は二〇倍近い五〇〇〇チャッ（五五〇円）に上がっていた。外国人料金になっていたのかもしれない（ちなみに、アウンサンスーチー政権になってビザ代は八一〇バーツが一気に一六〇〇バーツになった）。わたしの目的は庭内のプルメリア観察にあったので、もっぱら館内はタブレットパソコンで撮影することだけに集中した。将軍の書斎に入ると、前回目にした洋書の書架はそのままだったが、なぜか新しくビルマ語関係の書物の本棚が加わっていたのが目を引いた。

さて、お目当てはプルメリアである。その木は相変わらず熱帯の暑い日差しを浴びてたくさんの葉を繁らせ、白い清楚な花を咲かせて立っていた。もちろん花は確かに集団で咲いている。家屋敷からぐるりと回るような坂道を下って門まで、かなりの間隔をへだてて八本のプルメリアの木が並んでいる。そのどれもが空を臨むように背が高く、木質の太い幹を備えて堂々と大木の偉容を誇っていた。ともあれ、これだけ高木でしかも大きな花弁の花を集合して咲かせるこのアウンサン将軍邸のようなプルメリアをわたしはヤンゴンをはじめミャンマーの他の地域でまだ一度も見たことはなかった。

マッカサン駅のプルメリアの木

ここに至って、話を何年か前までさかのぼってみなければならなくなってきた。

実はわたしがプルメリアの花に魅せられたのは、バンコク市内の国鉄の駅「マッカサン」のプラットホームに咲いていたそれは見ごとな、美しいプルメリアの花を初めて見た時だったことをここで白状しておきたい。それはこれまでバンコク市内で見かける高木のプルメリアとも、寺や人家の庭先などにある低灌木（とはいえ普通わたしの背丈の三倍はある）のそれとも違っていた。これまで知っているどのプルメリアよりさらに背丈が低く、木肌の木質化もそれほど進んでいないで、葉も多く繁っている。何よりわたしを感嘆させたのは、一つの花が白い五枚の花弁を大きく、広くひろげ、その上それが六つも七つも集まり束になって咲いていたことである。ラオスの高木プルメリアは一つ一つの花が単独で咲きかつ小さい。色もタイではあまり見ないピンクがかった花びらで匂いがいくらか強めである。バンコクの低灌木プルメリアはそれより花は大きく、花元を染める黄色地の占める面積も狭く白色が目立っているのだが、やはり花は単独で咲く。ところが、マッカサン駅のプルメリアの花はそれよりさらに大きく、目がさめ

バンコクの国鉄マッカサン駅で束になって咲くプルメリア

るような白色で、集合して束になって咲くので実に見ごたえがあったのだ。わたしはその美しく咲くプルメリアの花を見るや、すぐにこれは従来から存在していた種類ではなく、おそらくこの国の農業試験場かどこかの園芸研究所のような機関でごく最近新しく人工的に作られた品種ではないかと推察した。その花の見ごとさ——ひときわ大きな花弁、白色の目立つ色合い、集合して咲くことでいっそう人の目を惹きつけるような美しさ——からどう見ても自然に生じた種とは考えにくかったのだ。

当時、バンコクのプラトーナームに住んでいたわたしは、タイイミグレーションの度重なるビザ取得方法の変更に翻弄され、しばしば他国に出て観光ビザ取得を余儀なくされていた。そこで最も近く、比較的簡単にビザ取得可能なカンボジアの国境の町ポイペトに出かけて行ったのである。タイ在住の邦人たちはビザ取得の目的でタイ側の町アランヤプラテートまでバスを利用して行くのが大半だった。早朝にバンコクを発てば、タイの出国手続きとカンボジアの入国手続き、同時に出国手続きそしてタイへの再入国手続きを済ませ、その日の内にバンコクに戻ることができたからである。またある時期には、バンコクとカンボジアの町ポイペト間の往復無料バスをカジノ（ポイペト）がサービス運行していたので、ギャンブルをしなくてもよかったこともあり、多くの邦人たちがこれに便乗したのである。

ところがわたしは都合十年以上も数えきれない回数ポイペト往復を繰り返したものだが、これらのバスを使用したことはほとんどなく、いつもバスよりはるかに時間を要するタイ国鉄の三等列車で通ったものである。バンコクの町中を少し歩いてみれば、ひどい時などは本当にここはタイなのか耳を疑うほど日本語が飛び交っているのであるが、長い年月この三等鈍行列車の中に一人として日本人を見かけたことはなかった。だがわたしはこのディーゼル機関車をこよなく愛していた。経済成長にともなって物価が二倍、三倍にうなぎ上りにはね上がる中、タイ国鉄は長年赤字に苦しみながらも一度たりとも運賃値上げを実施したことはなかった。わたしは十年ひと昔をこえて、常にたった四八バーツ（一三〇円）を払うだけで五時間三〇分の汽車の旅を続けることができたのである。あまつさえ、タイ人はすべからくいくら乗ってもタダという粋な計らいまでしてのけたのである。まことあっぱれとタイ国鉄に敬意を表したい。そしてなによりわたしにとって、このタイの庶民の足三等列車こそはタイを知る絶好の教室であり、教科書であり、つきせぬタイ庶民の生活を知る宝庫であった。わたしはこの鈍行列車に揺られながらこの教室でタイに関する多くのことを学んだのである。

国境の町アランヤプラテートへ向かって走るこの汽車の午後便に乗るために、わたしが住むコンドミニアムから一五分ばかり歩いてマッカサン駅まで行き、裏手から勝手にプラットホームに入ってゆく。その一郭に件（くだん）のプルメリアは咲いているのであった。汽車は広大な湿地帯を走り抜けてゆき、たくさんの田舎の各駅に停車する。その田園の小さな駅舎にマッカサン駅と同種のプルメリアが植樹され、あたりに色どりを添えている。低灌木でありながら大きな花を束で咲かせるこの種のプルメリアを、この鉄道沿線でしか見ることがなかったことで、わたしは最近作られた品種のプルメリアであると自分勝手に想像をたくましくしたわけだ。つまり大きな花を束で咲かせるように花卉研究者か誰かが改良して作り出したのではないかと考えてみたのである。

しかるに、アウンサン将軍邸のプルメリアの花もこれと同様、大きな花が束で咲いている。こちらは大木であり、きのう今日植えられたものではなく、少なくともさかのぼって将軍が住んでいた一九四五、六年にはすでに庭に植わっていたと見なければならない。はたしてこの謎はいかにして解いたらよいのか。今のところ唯一考えられるのは、アウンサン将軍邸のプルメリアの種子を播けば、これが生長して若い灌木のプルメリアの木になり、そこで咲く花はマッカサン駅のプルメリアのようになるとすれば、一応疑問は解消する。しかしどのようにして？　バンコクにはアウンサン将軍邸のプルメリアは存在しないので、どこからマッカサン駅のプルメリアはやって来たのか。まさか将軍邸から持ってきた種子ではあるまい。ともあれここに至って、わたしの仮説はアウンサン将軍邸のプルメリアの存在によってあえなく葬り去られてしまったのだ。

エピローグ

プルメリアは熱帯の花である。三〇〇種ほどがあるという。原産のカリブ海あたりからいつごろどのように世界に拡散していったかは知らないが、わたしの体験はインドシナ半島に限られている。赤い原色のハイビスカスはいかにも熱帯の情熱を喚起させるに十分な花だが、プルメリアはまた白を基調とした清楚な姿が別の味わいを秘めているともいえる。南太平洋ポリネシアの女性たちはプルメリアの花を摘んでレイに編んだりして、胸に掛けたり、髪に飾ったりする。頭の右に付けるのは未婚、左は既婚を意味するそうだ。

わたしの学生時代からの友人片山一道氏（京大名誉教授）は、ポリネシア人のルーツが南米ではなく、アジア起源（中国南部、台湾あたり）であることを主として骨の研究から突き止めた人類学者であるが、彼がマルケサス諸島のヒバオア島を訪れた際、ゴーギャンの眠る墓に行ってみると、そこにプルメリアの花がこの画家の墓所を静かに見守るように咲いていたと語ってくれたことがある。いかにも西欧の近代文明に嫌気がさしてタヒチに渡り、そこを終の住処（ついのすみか）としたこの反逆の芸術家にふさわしい風景ではなかろうか。

わたしは一二年間のバンコク暮らしの中で、外出した先の大通りや路地裏でよく今しがた散ったとおぼしきプルメリアの花を一輪拾い上げ、その甘く淡い香りを嗅ぎながら歩いて帰宅したものである。その香りを嗅ぐと、気分が落ち着き、幸福感が増すと解説書にもある。花言葉は「気品」、「内気な乙女」と紹介されている。純粋エキスで造ったプルメリアの天然香水はめったにお目にかかれない貴重品とのことだが、それもそのはず一瓶造るにはドラム缶二杯分の花弁を要するとどこかで読んだことがある。

ともあれ、アウンサン将軍邸のプルメリアの謎はいまだ解き明かせてはいないわたしにして、そのプルメリアの花との遭遇が東南アジアへの旅の深まりと情趣を添えてくれたことは確かにわたしには幸運なできごとであったのである。

そのⅡ　露天屋台食堂

熱帯の夜はどこでもいつでも決まった形で訪れる。
まるで肉食獣の狩りのように、初めはゆっくりと忍び寄り、間髪を入れず猛ダッシュして獲物をしとめるのに似ている。炎熱でほてった日中の太陽に、夜が気の付かないくらいゆっくり歩み寄って、熱と光を徐々に体内に取り込んだところで、アッという間にその明かりを呑み込んで一気に消化してしまうのだ。日差しの矢は折れ、零落してもはや勢いを失った光に、夜の性格が最後の引導を渡してしまう。

ヤンゴンの夜の襲来も、夕闇が静かに迫り来て、逢魔が時（おうまがとき）が夜のとばりを降ろすやいなや、今度はまるで階段を駆け下りてゆく速さで、暗黒がやみくもに全てを支配してしまうのである。大通りの街燈や店々家々の灯（あかり）、走行する車のヘッドライトなどが照らし出す光にもかかわらず、街全体はそこかとなく薄暗く、この街の人々の発する「ニャ」（夜）という音の響きを耳にすると、なんとはなしそんな夜の雰囲気がじわりと心に馴染んでくる。おや、どこかでこんな薄暗い夜の雰囲気に馴染んでいたことが確かにあったが、と記憶の糸をたぐってみると、それがもはや半世紀余も経てしまった敗戦後の幼き頃と同質の夜の暗さに辿りついたのである。

露天屋台食堂との出合いと夜の散歩

熱帯のこの昼と夜の交代劇の幕が降り、闇が深まる頃合いはまた、人々が夕餉（ゆうげ）の食卓につく時刻でもある。わたしは当初、宿の近くにあるインド料理店のポピュラーなマトンカレーや中華料理店の辛目な雲南スープなるメニューを夕食としたりしていた。だが数日すると、周辺の土地勘も増して、無料の市街地図を頼りにそこかしこ徘徊を始めた。パンソダンストリートからアノーラッタロードを西に向かい、マハーバンドーラガーデンストリート辺りに、夜間、露天の屋台食堂が何軒か連なって店を構え、商いをしているのにぶつかった。バスや大型トラックをはじめ、タクシー、自家用車などがせわしく喧噪を吐きだし、時には渋滞して排気ガスを撒き散らしているその大通りの隅の、れっきとした車道の上である。

そうした一軒の店先に縁台が据えられ、その上に十種類ばかり、大きな金(かね)のパットに盛られたお数が陳列されている。いわずと知れたミャンマー版家庭料理だ。揚げ物はもちろんのこと、魚でも肉でも野菜でも煮付けられたもの全てはごてごてと油にまみれて、味付けがすこぶる濃い目のようだ。

現地では現地食を、がモットーのわたしが、とはいえ食べようか食べまいかとお数の前で逡巡を重ねていると、すかさずトラ柄の服を着た若い女性スタッフがやって来て、食べないかと誘ってきた。その言葉がわたしの背中を押してくれ、いくらか大胆にお数一品いくらか尋ねると、「How much?」が通じない。彼女はすぐ近くで食事中の客のひとりに声をかけ通訳を頼んだ。彼に聞いてみると、一品どれも五〇〇チャッ、炒(い)ったご飯とセットにすれば一〇〇〇チャッになるという。とにかく安いので、詳細は後まわしにして、とりあえず口に合いそうな魚と野菜の煮付け二品とご飯を注文してみた。すべては指ことばでこと足りる。どこまでが店なのかも判然としない一郭に、プラスチック製の低い、真四角の小さな一人用食台が、これまた腕や背もたれを持

トラちゃん

たない腰を支えるだけの、ちょうど日本の風呂場にあるようなプラスチック製の腰かけと一対になって、アトランダムにただ散らかっている風に配置されている。何人か仲間でやってきても、だれもがこの一人用の食台に座って食事をするようになっている。集団用のテーブルはない。

トラちゃん(わたしがつけたアダ名)はわたしを混み合っていない食台に導き、待つように手振りで指示した。見渡してみると、わたし以外客は皆ミャンマー人だ。隣でひとり食べていた若い男が、お茶を飲みながらしきりに本を読んでいた。くつろいでいるのだ。それもマンガ本とか軽い本の類ではなく、きちんとした体裁の書物である。タイではありえない光景だ。

やがてわたしの食台に注文通り、直径十センチばかりの小皿に盛られた煮つけとご飯が運ばれてきた。大きな鉄の中華鍋でチャーハンのようにかき混ぜられ、ちょっと醬油のような味がついているご飯は、わたしの口にもよく合いおいしかった。これまでパサパサした白いインディカ米を食べていたが、これは決してうまいものではなかった。この国の米は長米でもタイ米やカンボジア米に比較すると、だいぶ風味が落ちてうまくないのである。それらに加えて、注文もしていない千切りキャベツのサラダまで付いたが、それはあくまでサービスなのである。さらに卓上に置かれた魔法瓶の熱い中国茶は飲み放題で料金を取ることはない。お茶の好きなわたしにとっては何より歓迎すべきことである。

ここで夕食をとるミャンマー人のほとんどが下層の庶民階級と思しき人々であることは、周囲を見渡せば一目瞭然察しがつく。その客の食台には料理一品とご飯と、小盛りにされたキャベツのサラダ以外見るべきものは何もない。味が濃すぎる煮つけの肉や野菜をほんの少し口に運んで、大量にご飯をほおばる。それでもお数が足りない分、あとはキャベツで補って腹を満たすのだ。この売り方はカンボジアの大衆食堂でも同様で、一品お数をとればタダの漬け物が付き、ご飯だけは食べ放題にしてくれる。

食事を終え、さて勘定をと頼めばミャンマー語が返ってきた。わたしが戸惑っていると、トラちゃんは先ほどの客の所へ行き、戻って来て「ワンサウザンド　ワンハンドレッド」と拙い英語で言った。料理二品にしたのを食台の皿の数で確認しているはずの彼女がなぜ一五〇〇チャッを一一〇〇チャッと言ったのか分からなかった。五〇〇〇チャッ札を渡すとお釣りがないらしく、別の客の所へ行って細かくしてもらい、お釣りをくれた。見ると四〇〇〇チャッある。結局、一〇〇チャッまたおまけしてくれたのだ。

わたしは側で巨大なヤカンで湯を沸かし、慣れた手つきで紅茶を入れている筋骨たくましい男のスタッフに紅茶を所望した。練乳をたっぷり入れた甘い紅茶だが、これがすこぶるおいしい。一杯三〇〇チャッ。紅茶をたしなみながら店のあちこちで立ち働いているスタッフを改めて眺めやった。年齢の隔たりの少ない若者たちの構成で、女四人、男三人総勢七人がそれぞれ持ち場を守ってキビキビと仕

筋肉マン

リーダーのお姉さん

事をこなしているのだが、もとより手が空けば他のスタッフのサポートに回って連携し、臨機応変に立ち振る舞っている情景は、見ていて実に気持ちのよいものだった。いまだ二次性徴の認められない痩せた一四、五歳の少女、これまたあどけなさの残る二人の少年、加えて紅茶専属の筋肉マン、料理を与かる二〇代の中心的存在トラちゃんともうひとりの女性、最後に控えるのが、スタイルも容姿も美しい二〇代半ばのお姉さん。この彼女がリーダー役で金銭その他全てを統括している。英語も使え、以後わたしが行く度に、いつも彼女が相手になってくれた。わたしはこの女性（ひと）のみだらさを感じさせない美しさと、質素でさりげない所作振舞いにずいぶんと好感を抱いたものだ。女性陣はすべからく顔にタナカ（女性や子供が顔に塗っているタナカという木から作った白い粉）を施している。

食事を終えてわたしは、宿へ引き返す道すがら少し遠回りして、ボーギョアウンサンロードへ出た。雨も降らず、ヤンゴン川を渡ってくる涼しい風が、ほてった身体の中にまでかよってきてすぎてゆくのが快い。東方へしばらくそぞろ歩きを続けてゆくと、宵闇にまぎれた視界のうちに、そこだけは夜目にも明るく光っているライトスポットが浮かび上がってきた。映画館だ。この国ではいまだ映画鑑賞が庶民の夜の娯楽として栄えている。昔の日本の映画館より立派な建物だ。上映しているのは自国の物語か韓

映画館の看板。只今上映中

流ドラマである。覗いてみると、どこも入場料は変わらない。三階級あり、六〇〇、八〇〇、一〇〇〇チャットとある。その上の特別席になると、一〇〇〇〜二七〇〇チャッと高くなり、一番立派な席の写真には大きな特等席が並んで写っている。夜のふところに抱かれて、九時半から始まる最終上映を、その愉しみのためには長時間をいとわず、客がゆったりと椅子に腰かけ、タナカとロンジー（男女共に着用する筒状のロングスカート、ミャンマーの民族衣装）というミャンマースタイルで、静かに待機している。素朴で、楚々とした情感に満ちた庶民の姿にまこと悠々閑々、平穏でゆるぎのない雰囲気がただよっている。

そんな心のどかな人々の間をぬけて歩いてゆく先には、路上本屋が三畳ばかりのシートの上に、雑然と形のバラバラな本を並べて商売をしている。新刊書もあれば古本もある。立ち読みならず座り読みをしながら気ままに、これと思った本を漁ってひやかすのもわたしの趣興のひとつだ。たまたまGeorge

路上本屋

わたしが値切って買ったジョージ・オーエルの『Burmese Days』

Orwellの『Burmese Days（ビルマの日々）』を見つけて、四〇〇〇チャッ（約三五〇円）に値切って買ったこともある。オーエルが若き日、わたしの好んだ南部の町モールミャイン（モールメン）で警察官をしていた頃に書いた小説だ。また、わたしの憧れの海メルグイアーキペラーゴの島嶼を解説したミャンマー語の本を手に入れたのもこの路上本屋でのことである。豊富な写真の一枚に、ドーメル島（LESOK-AW島）で真珠養殖を手がけている田崎真珠の現地スタッフが写っていたが、数年経ってメイッの旅の最中、その内のひとり社長の山下正人さんとの奇遇を得たのも、今では懐かしい思い出になっている。

スタッフとの交流、そして路上市場（いちば）

わたしはこの日からずっとその露天屋台食堂に通うことにした。

二日目はまたも一〇〇〇チャッとのことだったが、昨日まけてもらった分一二〇〇チャッ払ってきた。三日目は三品注文したにもかかわらず一二〇〇チャッしかとらない。リーダーの彼女は英語ができ、会計の一切を取り仕切っているので、この人に代金を渡すのだが、彼女はそれでいいのだとそれ以上余分には請求しないのである。わたしはリーダーをはじめ、スタッフ一同と次第に馴染になってきたので、遠慮をなくして自由に振る舞うことにした。四日目は紅茶も注文したので一五〇〇チャッ支払った。五日目の最後の日、一五〇〇チャッと言われたが、二〇〇〇チャッ手渡し、如才のない親切だったリーダーに明日ヤンゴンを去ること、またいつか来ること、そして色々ありがとうと感謝の意を伝え、スタッフ全員の写真を撮らせてもらって別れた。

ところで、夜ごと露天屋台食堂へ通った帰路、わたしはアノーラッタロードをパンソダンストリートまで戻ると、宿への道をとらずにそのままこの大通りを突っ切って、夜間だけ開かれる路上市場探索に出かけるのが定番だった。東方に下ってゆき、ボアウンキャウストリート辺りまで、なぜかアノーラッタロードの片側の歩道の両サイドから車道にまで、また反対方向に入り込む脇道の奥の方まで、種々様々即席の露店が縁台や路上に繰り広げられているのである。大通りの街燈にカバーされた小さな蛍光灯やローソクの灯の下で、肉、卵、魚、野菜、果物などの生鮮食料品から花や米や干物などが売られているのだ。彼らは氷が得難いので、涼しくなる夜にこれらの生ものが悪くならない内に短時間の勝負に及ぶ必要がある。ヤンゴンの主として庶民のこの台所に、夕涼みを兼ねた人々が袖の触れ合うほどに集まって、しばし殷賑を極めるのである。「市場経済」では買い手が主人公「〜を買ってやる」だが、この「市場経済」では反対に売り手が主人公「〜を売ってやる」になる。市場では人間関係が前面に出ているのに対し、市場ではあくまで価格が人間を押しのける。

花屋でバラを買い、ホテルの部屋に飾ったりすることもあるにはあるが、旅人のわたしが求めるのはもっぱら果物だ。長い間のタイ生活で熱帯産果物をたくさん堪能してきた中で、わたしが特にその味に見せられた双璧がドリアンとマンゴーである。東南アジアの男たちが競って、女房を売ってでも食べたいと産を傾けるのがドリアンだ。そのドリアン、何といってもタイ語で「黄金の枕」と呼ばれるモーントーン（モーン＝枕、トーン＝黄金）の右に出る品種をわたしは知らない。

さて、ヤンゴンの路上の夜市でわたしが渇望して止まぬ果物こそマンゴーなのである。タイの「ナムドークマーイ」（ナム＝汁、ドークマーイ＝花）という品種の味わい深いうまさには遠く及ばないにしても、雨季に入ってからの味には、わたしも産を傾けたくなるほど甘くておいしい。シーズンを外したものは硬くてスジがあったり、酸味が強かったりしてこれが同じマンゴーかと思うばかりで少しもうまくはなくなってしまう。そんな時にはみかんを代用するのだが、これが味はいまいち、その上日本のみかんより高値がついている。ドリアンはあるにはあるが、モーントーン以外食す気のないわたしが買うことはない。こちらのマンゴーはメキシコ系マンゴー（沖縄や宮崎の品種も同系）の品種で、おそらくマンゴーの主流なのであろう、タイのナムドークマーイは別系統に属しているはずれの品種らしい。

わたしはいずこに旅をしても、名所旧蹟を差し置いてさえ、必ず訪れるのがその土地の市場である。このヤンゴンの路上市場にしても、その後遠く離れたホテルに宿をとってからも、しばしば夜の散歩の目的地に加えていた。ボミャットトゥンストリートからテインビュロードを渡り、広大な敷地の中に今も偉容を誇るかのアウンサン将軍暗殺の現場になった旧外務省の赤レンガの建物を左手に仰ぎ見ながら、肉や魚の生臭い匂いや人いきれを求めて足を運んだものである。

路上市場のみかんの量り売り。おばさんは顔を覚えていてよくオマケしてくれた。

消えゆく露天屋台食堂とスタッフたち

さてさて、わたしはひと月をおかず八月一〇日、またヤンゴンの土を踏んだ。その日の夕方、件(くだん)の露天屋台食堂へまっしぐらに足を向けたのはもちろんである。スタッフ一同相変わらず皆元気で働いている。早速彼らに写真を上げ、変わらぬミャンマー家庭料理を味わった。そしてその日から再び彼らのもとに通い始めた。

三日目の夜、雨は上がったものの、いつ降ってくるか分からない空模様なので、この時期必需品の傘（バンコクより持参した）を携帯して宿を出た。大通りを進んで行くと、いつも先々に同じような屋台食堂が並んでいる所まで来て、ふと気付くと、この日に限ってこれらの屋台食堂が姿を消しているではないか。これはまたタイの「ワンカオパンサー」（雨季の三ヶ月間、仏僧が修行に励む最初の日、人々は禁酒し、全ての店が休業する）のような日で営業禁止日かと推察してはみた。心なしか人通りも少ないようだ。これはもはや彼らの屋台も出ていないのではないかと考えながら辿り着いてみると、案の定もぬけの殻で店もなければスタッフもいない。主(あるじ)のいない場所は広々と空白を作っているだけだ。そういえば、昨夜もわたしが食事中のこと、突然屋台をたたみ初め、皆あわただしく料理器具などを片付けて、それらを全て近くの路地裏へと運び出したので、一体何事が起きたのか見当もつかなかったのだ。

そこで、ひょっとしたらその裏通りで営業しているかもしれないと、奥へ入るT字路を曲がろうとしたら、いつも紅茶を入れてくれる筋肉マンがわたしに気付き、すぐ近くにいたあのリーダー役の彼女に知らせた。彼女が飛んできて裏通りへわたしを導き、その一角を見渡すと、縁台の上にお数の入ったボールが並んでいる。彼女が今晩はここでと言うので、いつも通りお数とご飯を注文する。彼女はわたしのためにさらに奥まった場所に専用の食台を据えてくれ、ここでお願いしますという身振りをしたので、わたしはそこへ行って座った。

ほとんど客はなく、食台ひとつに客が座って食べているのを見ただけである。いつもの明るい蛍光灯は皆無で、家々や大通りの灯（あかり）がわずかに届いているだけで薄暗く、食事の雰囲気は著しくそがれている。とりあえず食べ出して彼らスタッフを見ると、全員が一致協力して店をたたんでいるのである。これはおかしい。まだ店開きしたばかりでもう閉めようとしている。そしてわたしの食台のすぐ近くにある建物の二階の部屋へと調理済みのお数その他何もかもをあわてて運んでいるのである。

わたしは昼間、ミャンマーの友人とお茶を飲んだ折、彼が語った言葉を思い出した。この国の政府が路上の商売をみな撤退させるために、取り締まりを強化しだしたと言うのである。わたしは大急ぎで食べた。警察の手入れか何かがあって彼らに迷惑が及ぶのを避けるためにだ。もはや目下わたしだけが黙々と食べているのみである。紅茶係りの筋肉マンが紅茶を飲むかと聞きに来たので、わたしが食事の後に頼むと手振りで伝えたにもかかわらず、食事中に持ってきた意味が今ようやく呑み込めた。とにかくどんどん口に入れて、食べるのを速めた。そしていつものように一五〇〇チャッ払い、「OK?」と言うと、それを受け取ったトラちゃんがちょっと待っていて欲しいという仕草をしてその場を去った。立って待っていると、四〇〇チャッのお釣りを持ってきた。二階に上がりまた降りてきて、今度は大通りの方へ駆けて行ったりして持ってきたのである。わたしはいつもと同じものを注文したにすぎないので、お釣りがなぜあるのか判らない。そこでどうあろうと構わないので、そのお釣りの札をもう一度たたんで彼女の手の中に戻して、これでいいんだとグッと手の力を強めた。彼女が笑顔で受け取ったので、また明日？　と言いながら別れた。恐らく、この調子では明日はもはや彼らの店が日の目を見ることは叶わないだろうと思いつつ……。

　わたしはよほどリーダーに尋ねてみようと思った。だが、彼女たちがあまりにもあわただしく片付けに没頭していたし、またこちらの方が主要な理由なのだが、かりにわたしが何事が起っているのか尋ねたとしても、彼女が外国人の客であるわたしに、自分たちの国の事情を話したがらないに違いないと考えたのである。片言の英語でも理由の大概は知ることができたであろう。しかしわたしは彼女にたぶん政府の施策について語らせるのはあまりにも酷にすぎると考えたりもした。

　わたしはどこの国を訪れても、他の観光客とは異なり、その国の庶民の暮らしに最も関心が向くのである。彼らの生活がどのような状態かを知れば、それがその国の経済的レベルを計るバロメーターとなろう、そんな考えを持っている。そしてそれ以上に、庶民の暮らしの中の哀歓やつましさなどにわたし自身共感を覚えるからなのだ。ヤンゴンをはじめ、南部のモールミャイン、バゴー（ペグー）、タトン、メイッ（メルグイ）、ダーウェイ（ダボイ）、コートーン、北ビルマのピー、マンダレー、バガン、それからラーショー、イーポー、そしてエーヤワディー（イラワジ）デルタのパテイン、これらの都邑（とゆう）を足で歩き、好んで民家の路地裏をさまよっては思考を巡らせ、行脚することおよそ二〇〇日、わたしはこの国の庶民の暮らしぶりをつぶさに眺めてきたのである。

ところで、今夜目撃したことは、その庶民の生活を脅かしかねない出来事に違いない。彼らはただそうするより他に方法がないので、せっかく作ったお数も何もかも売ることができなくなることが分かっていても、ただひたすら運んでいた。恐らく毎夜ここで食事を摂る人々もこの種の路上屋台がなくなれば、さらに散財覚悟の食堂で食べるしか方法がなくなるはずだ。両者とも困窮におちいる事態を招くことになる。

帰り際、大通りはことごとく店がなくなり、道路は広々として人通りが少なくなったので、むしろ異様な感が辺りを支配していた。そこで夜の路上市場がどうなっているか気がかりになり行ってみた。まだ魚や肉の店はローソクをともしながら商いを続けていたが、その他の店は大半がすでに立ち退いて、そこが空き地を作っていた。昼間マンゴーを買った果物屋ももちろん姿は認められない。わたしは今夜何が起こったのか知ることができなかったし、明日何が起こるのかはさらに分からなかった。しばらく大通りの交差点の片隅に立って、その場の情景を眺めていた。人通りが少なくなったものの、人々の表情や行動は普段と大差はなく、日常の生活が窺えるにすぎなかった。だが、何か得体の知れない見えざる鵺（ぬえ）の魔手のようなものが、この国の庶民の頭上間近に迫ってきていることは切々と実感されたのである。

翌日からわたしは四、五日、上ビルマの方へ旅を試みた。再びヤンゴンに舞い戻り、雨を突いて傘をさし、早速屋台食堂へと出かけてみた。屋台、あるにはあった。スタッフ一同以前と変わらず働いている。だが、ついに大通りの営業は完全に禁止されたようで、先日同様屋台を脇道に入った場所に移していた。実は当局が露天屋台食堂の営業を初めから許可している訳ではなく、大通りであろうが、脇道であろうが、禁止の措置をしていたのを、それを奪われては生活が成り立たない彼らは、当局が見て見ぬふりをしている目をかいくぐって、毎夜勝手に屋台を出していたにすぎないのである。恐らく、道路を塞いで、夜ごと店を繰り広げる路上市場も同様であるだろう。

わたしは毎度おなじみのメニューを伝えた。旅先ではあまり食にこだわらないわたしは十年一日のごとく同じメニューを注文する性癖を備えている。小雨が降り、テントがあるわけでもないので、天がふりかける雨粒が客の料理の味を薄口にしてしまうことはあっても、それでも営業は続けられる。料理を提供する彼らも困るが、客も困っている。とはいえ、両者どちらもが生きてゆくのにこの屋台を必要としているのである。これをアテにやって来て、さてこの屋台がなかったら、この貧窮の人々はどこで空腹を満たせばよいのであろうか。

心優しいリーダーが食台と椅子を庇（ひさし）のある建物のわずかな空間にセットしてくれたので、わたしは雨を凌いで食べることができた。蛍光灯も今はない。遠く隔てた大通りの街燈のかすかな灯（あかり）と近くの民家から漏れてくる薄明りにかろうじて頼っている。彼らが立ち働く身の動きひとつひとつが、青黒くまるで影絵のように暗闇に浮かんだり沈んだりしている。

リーダー以外は皆雨のしみるコンクリートのギザギザ道を裸足で行ったり来たりして忙しい。雨にも負けず、活気をもってひと晩の稼ぎを少しでも多くすることに余念がない。必死に頑張ってはいても、それを見る者に少しも悲愴感を与えることもない――これがわたしには実に気持ちが良かった。わたしには安易という言葉に寄りかかった同情に心をやつすことはできない。同情とは、結局のところ、その同情する相手よりも自分を上位におくことに外ならない。わたしには共感があるだけだ。共感とは……それは共にあること、それは心の涙ではなかろうか。

「このゆえに明日（あす）のことを思い煩うな、明日は明日みずから思い煩わん。一日の苦労は一日にて足れり。」（マタイ福音書）

長居は無用、わたしは彼らの邪魔にならないように素早く勘定を済ませてその場を退散したのである。翌日は激しいスコールと胃痛というダブルパンチをくらって露天屋台食堂に出かけることができず、宿の近くの食堂で夕食を済ませた。こんな土砂降りの雨では、さすがに彼らは店を張ることを断念せざるをえないに違いない。気まぐれを装ったスコールでさえ、有無を言わさずたちまちのうちに彼らの生活の糧を奪ってしまうのだ。わたしも学業を終えた時、雨にその日の糧を奪われた体験を持っている。職はなく、金もなく、住む部屋もなく、かてて加えて病を得て、将来のアテもなかったわたしは雨が降らない限り土方に出て、その日暮らしに明け暮れしていた。

「土方殺すにゃ刃物はいらぬ、雨の三日も降ればよい。」

天気で稼ぎが左右される身には、雨はそれこそいつでも情け容赦のない凶器と化す。

次の日、それはわたしがタイへ帰国（？）する前日のことになるが、雨が止んで露天屋台食堂で最後の食事をするため、いつもより早目に宿を出た。それはまたわたしがこの屋台食堂とスタッフを見た最後の日でもある。彼らはまた路地裏のあの薄暗い場所で店を構え、張り切って営業していた。なぜかリーダーの姿は見えない。残された彼らは小気味のよいほどキビキビと動き回り、リーダーの不在を十分補って余りがあるほどに相も変わらず粉骨砕身して働いていた。若い時を生きるためにこうして働き、多くの日々を費やすのであろう。庶民の生き方はつねにひとつの円環の中に閉じている。

そこから外に向かって開いてゆくことは稀なことである。それは知識の人間の生き方とは根本的に異なっているのだ。彼らは成るようにしか成らない人生をどう生きるかに終始するだけなのだ。

それから一年三ヶ月を経てヤンゴン入りしたわたしは、わずかの期待を抱いて例の露天屋台食堂へと出かけて行った。だが、わたしが目にした光景は、以前に輪をかけ交通渋滞の増した大通り、かつてあった露天屋台食堂の跡地はただただ激しく往来する車の渦の中に幻となって存在していたにすぎなかった。

見えざる鵺(ぬえ)の正体

それからさらに四ヶ月がすぎたある日、今度は人々の前に現れた、得体の知れない見えざる鵺(ぬえ)の魔手の正体をわたしは目撃することになった。例によって路上市場まで夕方散歩を試みて、アノーラッタロードを西に向かって歩いていた。ところが近づいてゆくにつれ、異様な光景が目に入ってきたのである。今店をひろげたばかりの商売人が緊張して慌ただしく、次々と店をたたんでいるのである。露天屋台食堂の前車の轍の跡をこの人々が追っている。見れば役人なのであろう十余人の制服を着た男たちがまとまって立っている。店の片付けを監視しているのである。車道には彼らが乗ってきたとみられる大型トラックが二台、三台と停まっている。その車上にも警察か役人が大勢乗って待機している。禁止されたこの場所で商うことを取り締まりに来たのであろう。昨年の露天屋台食堂が一斉取り締まりに遭って消えていった再版なのだ。まことに弱い者いじめもはなはだしい。彼らとて好き好んで禁止された場所で商いをしているわけではあるまい。それをしなければ商売が不可能だからこそせざるをえないのは明らかだ。それでようやく生活が成り立っている人たちを強制的に排除するなぞ行政のすることではない。過ぎてきた私自身の人生と折り重なる辛い生をそこに見たわたしの心に、激しい怒りの感情が沸き上がってくるのを覚えた。それはむしろ逆ではないのか。彼らが安心して商売ができるように取り計らうのが行政の役目であろう。これでは彼らはそのやるせない心で行政を、政府を憎み、怨恨の情を抱かざるをえまい。そんなことにお構いなく、当の商い人たち自身は黙々と店を片付けている。誰ひとり抵抗する者なぞはいない。そんな彼らを見ているだけで、切々と心が打たれ、胸が千千にかき乱されてくるのである。やがて賑やかだった歩道やその他の場所からも客が次々と姿を消していき、店々は全て撤去されて、道路は本来の機能を回復していった。しばらくたつと、商人の方も取り締まりの役人も共々その場を後にして消えてしまった。あとには何事もなかったかのように、夜の静寂が辺りを支配し、ぼんやりした街燈の火影が淋しく舗石を照らすばかりであった。

露天屋台食堂のあの若者たちは一体どこへ行ってしまったのであろうか。今、厳しい取り締まりに遭った路上市場の人たちはこれからどのように生活を成り立たせてゆけばよいのだろうか。いずれにしても、露天屋台食堂の若者たちが、路上市場で食を得る商い人たちが、再び商売が可能になって欲しいという期待と、そうはならずにもはや彼らが二度と元には戻れないことになるのではないかという嘆かいの狭間で、わたしの心は絶えず揺れ動いているしかなかったのである。

そのⅢ　チンピラ闇両替

二重レートから生まれる闇両替

これはまた困ったことになった。嫌な予感はしていた。その予感が目の前で現実となったのである。ミャンマーの通貨チャッが足りなくなり、両替する必要に迫られていたので、いつも行くボーギョ・アウンサン市場(いちば)へ出かけたが、折からの正月休み（ミャンマーもタイやラオスと同じく四月一三日〜一五日）で、今日一三日はすでに休業に入っていたのである。

市場(いちば)の門はかたく閉ざされ、市場全体を覆う金網には鍵がかかって、一切出入りが不可能になっている。むろん、周辺は人っ子ひとり見当たらないで深閑としている。

この市場はヤンゴン市内では一番賑わう界隈にあり、宝石店を初めとして、衣料品店、カバン店、美術骨董店、その他のミャンマー産商品を売る数々の店がひしめき合って、網の目のように細道が入りくんで、迷って大通りに戻ることに難儀するといった体(てい)の、やはりアジアの混沌のびっしり詰まったモンスターマーケットなのだ。この頃には、近隣の東南アジア（特にタイ）の諸国から、中国、韓国、日本から、さらに欧米からやって来た旅行者が土産物を求めてごった返している。

昨日、ホテルにあるカレンダーで、一〇日間ほど連休になっているのを目にしていたので、ひょっとしたらとは思っていた。しかし、バンコクでは正月といっても、商店も食堂も、もちろん銀行の外為両替所もほとんど営業しているのが普通だったし（却ってこの時とばかり商売にはげんでいる）、ヤンゴンとて似たようなモンだと高をくくっていたのだが、みごと予想は裏切られてしまった。

一昨日、日本語学校を運営している知人のミャンマー人Nさんと会うと、二、三日後にわたしが南部の島嶼に出発すると知った彼は、今すぐ航空チケットを購入しないと明日からの連休で手に入れるのは不可能になり、その間ほぼ一〇日間ヤンゴンに足止めをくらうことになると忠告し、すぐ知り合いのツアーエイジェントにわたしを連れて行ってくれたのである。彼は親切にもまた現地のホテルに一泊だけ予約を入れてくれた。結果的にわたしはこの彼の機転をきかせた処置のおかげで、予定通り翌一四日（日曜日）の朝、南部の町メイッ（メルグイ）に発つことができたのである。

それでもわたしはこと両替に関しては、なんとかなる、いやなんとかすると楽観的だったのだが、地方へ行けばいくほど両替のレートは悪くなる一方だとは聞いていたし、最悪の場合、両替できない事態も起こりうるとの流言を無視することもできなかった。

そもそもわたしはこの二五年の間、大ざっぱな計画だけは一応立てて旅には出るが、あとはケセラ

ボーギョ・アウンサン市場

セラ、行った先々でその都度その土地の事情に合わせて考えながら、行動を決めるというわたしの旅の流儀を忠実に実践してきたので、もちろん、宿泊の予約など全くと言ってよいほどしたことはない。それでも二五年間、宿泊にありつけなかったことはほとんどなかった。

ついでなので白状すれば、一度だけあわや野宿かと思われた体験をしたことがある。少し道草を食って、その一部始終を話しても退屈しのぎにはなると思うので記しておくことにしたい。

それはもう二〇年以上昔のことだが、タイ南部の都市ハジャイでのこと。それまでハジャイには数回訪れたことがあり、いずれの時も宿で苦労することはなかった。まあ、たとえ断られても、その他の宿を二、三当たればすぐ見つかったのだ。

ところが、その日は金曜日、飛躍的に右肩上がりの経済発展を遂げていた隣国のマレーシアから、大型観光バスを何台も連ねて、マレー人（主として中国系）がドッと観光に押し寄せて来て、ホテルというホテルを占拠した。そのあおりを食ったのである。以前泊ったことのある二、三の安宿に立て続けに断られてしまった。それでも、どこか一軒ぐらいは必ず見つかる、といった確信を抱いて、重いバッグをかついで探し回ったものの、どこもかしこも一言のもとに門前払いを食ってしまった。さすがのわたしもこの時ばかりは途方にくれてしまったのだが、とはいえ、この段階でさえ、ハジャイ駅のベンチがあるサ、と気持ちが落ち込むことはなかった。

最後に、以前宿泊したことのある、わたしのアコモデイション概念からすれば超高級ホテルに属する準高級ホテル（たまにはわたしとて、安宿を離れて、疲れた体を温かい湯船に浸すこともある）に、ダメもとで出かけて行った。

レセプションの若く、ほほ笑みの美しい案内嬢（タイのこのクラスのホテルでは受付にこの種の知的で眉目秀麗な女性を置いている）がその顔に似合わず、「マイミー・ホン・ワーン、テム・ルーイ・カッ」（空室なんてありませんョ、全館満室！）と冷酷にもわたしに告げた。そんなこと先刻承知のわたしが、ここで簡単に諦めてしまったのでは、旅のエキスパートを自認するわたしの面目は丸つぶれになる。わたしは以前にここに何度も泊ったことがある（本当は一回で、あとは朝方レストランにおかゆを食べに来たことが数回あるにすぎない）、あなたは何てかわいい女の子なんだろう、なんてことをこの知性的な女性がそんな甘言で心変わりするなどありえないと内心思いながら言い続けたのだ。

ところが、瓢箪から駒が出た。ありえないことがありえたのだ。まさかわたしの見え透いたお世辞が効いたとはとても思えない。かえってそんな男客は軽蔑されるのがオチなんだが……。

劇的逆転！　マイナスの二乗がプラスに転化！　彼女の口から思いもよらない言葉が飛び出してきた。「チャム・クン・ダーイ・カッ、ミー・ピアン・ホン・チュット・タオ・ナン、パック・ペン・カー・ホン・タンマダー・ダーイ・ナ・カッ」（あなたを覚えていますョ、スイートルームがひと部屋だけ空いています。普通の部屋代だけをお支払いいただければそれでよいですョ）。耳を疑ったというより、自分のタイ語の未熟なヒヤリング能力がもとで聴き間違えたとはじめは思った。そんなバカなことはない。スイートルームが残っているのは理解はできる。それならむしろ高い料金を提示するのが常識だろう。なのに普通部屋の通常料金で宿泊してよいというのである。わたしが幾度通常料金でよいのかと尋ねても「ダーイ・カッ」（構いませんョ）と彼女も繰り返す。禍転じて福となるとはこのことか。その場で通常料金を支払い、わたしはとてもひとりでは使いきれない、豪勢なスイートルームを手にした次第なり（もちろん、生涯、後にも先にもスイートルームなるものに宿泊したのはその時だけ）。

さて、だいぶ脇道にそれてしまったので、軌道修正して元の道に戻ろう。ボーギョ・アウンサン市場には、多くの闇両替商がひしめいている。小さなボックスを持ち数人で商っていたり、宝石店がアルバイトに両替で利鞘を稼いでいたり、外国人とみてはアタックしてくる狡猾な立ちんぼがいたり。初めはこの一匹狼の闇屋の中でレートの一番よい両替屋を選んで替えていたのだが、ヤンゴン訪問が何回か重なる内に（なにせ住んでいたバンコクからヤンゴンまでは一時間ちょいのフライト）、東京のびっくり寿司で一〇年働いていたという宝石店の主人と知り合って以来、彼がもっとよいレートで替えてくれるというので、そこで替えていた。ところが面白いことに、別の路地でロンジーなどを商っている、これまた日本語を流暢にあやつる男がわたしを一番レートのよい所へ案内してくれた。どういう訳か、びっくり寿司とは仲が悪かったのである。なるほど、そこはこれまでで最高のレートで（特に円を）両替してくれた。以後はずっとこの店で替えるようになったのは言うまでもない。闇両替は二重レートのあるこの国では、外国旅行者にはなくてはならない存在だが、もうひとつのメリットは円でも（タイバーツでさえ）両替が可能なことだ（自由化された銀行でも今なお外国為替は米ドルのみである）。余談だが、わたしはこの二重レートのおかげでこの前年、十年ものの日本のパスポートを、しかも四〇ページの増刷も含めて、わずか一三〇〇円で作ったものだ。日本で取得すれば一七〇〇〇円以上はしていたはずである。

イカサマ師たちとの遭遇

さてもさても、「チンピラ闇両替」はどうしたんだと、読者からお叱りをこうむる前に、本題に立ち戻っていこうではないか。

ボーギョ・アウンサン市場で両替が不可能になった以上、もはや打つ手はないのか。ここでいよいよ最後の手段、そのチンピラ闇両替とわたしが呼んでいる手合い、時にはイカサマをして外国旅行者を騙す族(やから)にご登場願うこととしよう。

ボーギョ・アウンサン市場の付近、ボーギョ・アウンサンロードとスーレー・パゴダロードの交差点の一角に、立ちんぼしたり、歩道に腰をおろしたりしてたむろしているいかがわしい若者たちが闇両替をしているのは誰もが知っている。旅行者とみれば声をかけてくるからだ。もちろん相手になる人は稀である。この種の人間に絶対関わってはいけないなどと日本の旅行ガイドブックはつとに警告を発している。とはいえ、彼らがそれでも両替を商っているということは、わたしは目撃していないが、たまにはこのイカサマ語りの男たちからチャッを手に入れている旅行者だっていると考えても何ら不思議ではない。この連中とて案外それをメシの種としているかもしれない。ところで今やわたし自身、ぜひともチャッを得ておく必要に迫られている以上、彼らのチャッだけが頼りになったのである。

わたしは件(くだん)の通りの一角にたむろするアンチャン風情の男たちの側を何くわぬ顔で素通りした。案の定、その内のひとりがカモがやって来たとばかりに背後から両替をしないかと誘ってきた。渡りに舟と応じては足元を見られるのがオチである。そこで気のない風を装い、本当に金を持っているのか見せてみよと手でその仕草をすると、それが通じて奴さん、すぐカバンのような袋から一〇〇〇チャッ紙幣の束を取り出して見せた。そこへ別のアンチャンたちも三、四人集まってくる。彼らはグルになってイカサマをするのだ。

いよいよ本番の劇が始まった。この茶番劇、双方巧みな演技が必要だ。レートを尋ねると、一ドル＝九〇〇チャッと答える。空港の銀行レートが八七九チャッだったので、もちろんレートはよい。当然それで誘いをかけるのだ。分厚い札束が輪ゴムで束ねられているが、それがクセものである。それを一枚、二枚と目の前で数えて見せるが、一枚の札を二枚に折って、一枚を二枚に数えるイカサマをやる。これはわたしもよく知っている手なので、その手は桑名の焼き蛤。うまくゆけば私の方が得をするが、彼らとて必死、そうは問屋が卸すまい。

いくら替える気があるのかと中心の男がたたみかけてきた。一〇〇ドル一枚（銀行であれ闇であれ、ドル札の種類――もちろん一〇〇ドル札が一番レートがよい――でレートが異なる）とわたしが言うと、すかさず一枚、二枚、……と数え始めた。そうはさせじとわたしが数えるからその札束を渡せと札束に手をかけようとした瞬間、目にも止まらぬ速さで札束を引っ込めた。札束の輪ゴムを外すことは、彼らにとってしてはならないタブーである。イカサマがバレることを恐れての行為と察したわたしは、その時点で交渉をする気は失せていたが、ついでに円のレートはいくらか訊いてみた。ところが何か

1000チャッ札の束

ブツブツ言うだけで電卓に数字を表示しない。これではもはや相手にするだけ無駄だと判断し、私の方から交渉を打ち切っておさらばをした。

イカサマ師の手練手管と事の顚末(てんまつ)

引き続きスーレー・パゴダロードをしばらく歩いてゆくと、そこにも三、四人若者がたむろしていて、来るなと思っていると、やはり両替……と声をかけてきた。実は昨日、わたしはこの男らを目撃していてすでに知っていたのである。先ほどのワルたちに輪をかけて面構えが堂にいっている連中だ。いずれも人相のよくない、目つきの悪いチンピラ風情である。

わたしは立ちどまり、また気のない風を装ってレートを尋ねた。待ってましたとばかりひとりが電卓をはじき、九〇〇と出した。もちろん、一ドル＝九〇〇チャッの意味だ。試しに日本円はと問えば、一三を示した。これはいささかわたしも内心驚いた。一円＝一三チャッ。こんなによいレートがある訳がない。確かめる意味でわたしが一〇〇〇〇（一万円）を打ち、覚えたてのミャンマー語で「ベラウレー」と訊くと、やはり一三〇〇〇〇と表示した。

これはもちろん何かカラクリがある。目下は円安で一ドル＝一〇〇円近くになっているので、このレートで換算すれば一万円＝九〇〇〇〇チャッがいいところである。昨年一ドル＝七〇円台の時でも一万円が一〇〇〇〇〇チャッに届かなかったのであるから、もしこの両替がかなえば、彼らは大損するのだ。空港の銀行公定レート、一〇〇ドル＝八七九〇〇チャッから推測しても一万円は八八〇〇〇チャッが上限だろう。それが何と一万円を一三〇〇〇チャッで替えてくれるというのである。ありがたい話ではないか。ともあれこれは面白い。ちょっと危険だが、ひとつそのカラクリを見抜いて一三〇〇〇チャッをふところに入れてやろうかとこの話に乗ってみた。一万円を替えるとすれば、一〇〇〇チャッ札が全部で一三〇枚だ。このアンチャンたちは戦略上最高額の五〇〇〇チャッ札は一枚も携帯していない（ボーギョ・アウンサン市場の闇両替商には五〇〇〇チャッ札がある。もっとも公の銀行ではなぜか一〇〇〇チャッ札での両替が多い）。

さて、わたしの目の前で相手が分厚い札束の輪ゴムを全てはずした。それから一枚、一枚わたしが目で確かめることが可能な速さで数えあげてゆく。なるほど、これでは一枚を二枚に数えるイカサマはできない、フムフム。この連中の方が手がこんでいて、イカサマのレベルが上なのか。一〇枚になったら隣の男があずかる。それをわたしがしかと見ている。それが一三回繰り返され、札束は全て別の男の手にゆだねられた。次にわたしが数えるから札束を渡すように促す。すると何を思ったか、札束を二つに分け、その一方の束だけわたしに手渡した。この間、彼らは二回にわたりわたしをより人の目につきにくい場所へと誘導し、三人でわたしをとり囲むようにして周囲の目を遮断するシフトを敷いた。なかなかやりおるわいと思ったが、この程度であればわたしの方も逃げようと思えばいつでもそれが可能である範囲だったので、わたしは札束の勘定に神経を集中させていた。わたしが数え始めると六つの目玉が皿になってきた。わたしがイカサマでもすると思っているのか。その時とんだハプニングが起こった。数え終えて残りの半分を受け取ろうとしたその矢先、突然もうひとり、いつの間にどこから来たのか、おたずね者の人相書によくあるような悪漢面をした男が割って入り、われわれの交渉をぶち壊しにかかったのだ。わたしが数えた五〇枚の札束を持っている男からそれをふんだくり、次に残りの八〇枚を手にしている男からも札束全てを取り上げた。そして今度はオレが数えるからお前はよく見ていろとわたしに宣告した。この時わたしは一歩譲った。交渉にはかけ引きが必要だ。恐らくこれはこのグルたちが毎度用いる常套手段なのだろう。当然のこと、わたしはこのあくどい手合いに気合負けしてはしてやられるので、イカサマはさせないようにしなければならない。ところでこの時も彼らはこの親分肌の男が安心して仕事ができるように、三度(みたび)わたしを別の陰の場所へと移動させた。

男が数え始めたので、一〇枚単位で数えた札束をわたしの手の方へ渡すように断固威厳をこめて主張した。全て数え終わった時点で、最後に私の手の中にある札束全てを改めてわたしが数え直し、確かに一三〇枚あると疑いのない段階で、一万円札を彼の手にゆだねるというのがわたしの作戦である。わたしの言い分を認めなければこの交渉は決裂すると判断したのか、彼は一〇枚毎に数え終えた札束を忠実にわたしに渡してよこした。到頭一三回目が終わり、札束は全てわたしの手中に帰した。一三〇枚、なるほど。

いよいよ事態は佳境に入った。ここからがわたしの手腕の見せどころである。ここでわたしは交渉のヘゲモニーを一手に握り、一気にどんでん返しを起こさなければならない。あくまでアンタが主役にしてはならない。わたしの方が主役を演じ、彼らに引導を渡してやらねばならないのだ。

わたしはその札束をしっかり握り、最後にわたしが数えるからお前はとくと見ているようにとその悪の権化に宣告した。すると、またまた数える前に場所を移動してくれと言って、今度は離れた駐車場へ連れて行き、車と車の間の隙間に陣取って、四人がわたしを取り囲んだ。悪事を働くには恰好の場所である。だが、わたしには不測の事態が起こっても、まだ十分切り抜ける自信があった。しかも札束を確保しているのはわたしの方なのだ。ともあれ、一三〇枚の札をわたし自らが数えることはどうしてもしなければならない。それとて必要条件ではあれ十分条件ではない。ひょっとしたらこの悪の権化は手品師かもしれないからだ。

わたしは彼らの監視の目がいき届くほどゆっくり、ワン、ツー、スリー、……と数えながら札を一枚一枚右の掌から左の掌へ移してゆく。五〇枚数え終えた段階で札束をきれいに揃え、二つ折りにして足元の地面にじかに置いて、誰にも触れさせないようにサンダルの底でガチッと踏みつけた。これはイカサマは許さないという暗黙の意志表示と同時に、わたしがそんな甘ちゃんではないゾと彼らに知らしめる示威行為でもある。

彼らはどうしたか。何やらミャンマー語でワイワイ言いながら、そのようにお札を踏むのはよくないと異口同音にわめきちらして、何とかそれを取り戻そうとやっきになった。わたしは取らせてなるものかとさらに力をこめてギュッと札束を踏んだ。何度か同じやり取りをしたあげく、悪の権化が妥協して、それならお前のポケットに入れておいたらよかろうと言ったので、それを認めわたしが足元をゆるめると、奴さんその札束を掴んでわたしのズボンのポケットにねじ込んだ。

わたしは残った札束を再び数え始めた。あと八〇枚だ。もう五〇枚で切ることは止め、ひと息に八〇枚を数え、確かにあると告げてポケットの五〇枚と合わせてひとまとめにし、手の中に収めた。その時、悪の権化がもう一度自分が改めるからその札束をよこせと言った。すでに一度数えたのに、奴が一体なぜまた同じことを繰り返さなければならないのか。ここで渡してはわたしの行為は水泡に帰してしまうので、わたしが断固拒絶したのは言うまでもない。手品師の種を見破れなかった場合、今度はわたしの方がピンチに陥る確率は高い。現時点ではわたしの確実な勝利だ。札束は確かに一三〇枚わたしの手の中に眠っている。恐らく彼らも事態がここまで進展するとは思ってもみなかったのだろう。少々狼狽(ろうばい)気味だ。

だが問題はいよいよこれからだ。わたしとて彼らが大損承知ですんなり両替に応じるとは思っていない。彼らがどんな手を使ってこの一三〇〇〇〇チャッを手許に取り戻すかが見ものである。この難題をヤツラはどう切り抜けるのか、さあ、お手並み拝見といこうではないか。

わたしは斜交(はすか)いに肩からかけているカバンを開け、おもむろに一万円札を一枚抜き出した。一枚だけはすぐ出せるように仕組んでおいたのである。それを悪の権化に静かに渡した。さあどうするか。すると、彼はその一万円札を灼熱の太陽にかざし、しげしげとためすがめつ眺めやり、これは怪しいといった素振りをして、札番号を見るようにとわたしに言った。そしてミャンマー語、拙い英語、それに身振り語を交え、この番号が本物かどうか調べる必要があるので、われわれと一緒に来るようにと命令を下した。それを聞いた途端、わたしは一瞬にして全てを悟った。彼らに従ったら、その後の展開がどうなるかが十二分に想像できるというものだ。

事態がコトここに至る以前、つまりわたしが一三〇枚の札束を握りしめ、悪の権化に一万円札を手渡した時点で、わたしがすかさずその場から脱出すればよかったのにと人は考えるかもしれない。もちろん、わたしの脳裡の片隅にもそんな判断がなかったわけではないが、仮にわたしがそうしたとしても彼らはただちにわたしを追跡してきて、事態はいっそう悪化する可能性大である。万一、彼らの追跡を逃れて、その一三〇〇〇〇チャッを手にできたとしても、そんな卑怯なまねまでして金を稼ぎたいとは毛筋ほども思っていない。旅の単なる手すさびにすぎない細事のどこに真剣になる必要などあろうというのか。

ともあれ、この話をさらに面白くするには、もちろんわたしが彼らと同行し、その一事顛末(てんまつ)をつまびらかにするのが筋というものであろう。しかしわたしはここでフィニッシュとしたのである。今この交渉をここで打ち切っても、わたしには何ら被害はないし、面白い体験をさせてもらったので、それ以上求めるものとて何もなかったからである。かてて加えて、わたしのカバンの中には、これから二五日間の旅の費用、パスポート、その他全財産が入っていたので、それ以上の冒険は控えなければならない事情もあったのだ。

わたしはどうしたか。鮮やかなフィニッシュを飾らなければウソである。わたしは悪の権化の左掌に素早く一三〇枚の札束をねじ込み、同時にこれでおあいことばかりに右掌の一万円札を奪取した。わたしの一瞬の行動がそれこそ秒速ナノレベルで過ぎたので、彼らは何事が起ったのか理解するひまもなく、ただただ唖然と突っ立っているばかりだった。わたしは一万円札をゆっくりカバンの中にしまい込み、後も振り返らずに平然とその場を立ち去り、スーレー・パゴダ方面へと歩みを進めたのである。

後日談としてひと筆つけ加えると、翌日わたしは、予定通り早朝のフライトで南部の町メイッへ発った。「AIR KBZ」という自由化の象徴の民間航空会社の真新しい機体に搭乗していたのはわたしひとりを除き、全てミャンマー人の乗客であった。

メイッのホテルに着き、両替所があると聞きつけて早速出かけてみると、これまたできたてホヤホヤの民間銀行「ASIA GREEN DEVELOPMENT BANK」の丁重なお出迎えに遭遇したのである。一ドル＝八八六チャッというヤンゴンの銀行（八七九チャッ）以上のレートを電光掲示板に見出したわたしは、一筋縄ではいかず空振りに終わったヤンゴンの両替、あれは一体何だったのかと思わずにはいられなかった。若い女子行員が愛嬌をふりまきながら手渡してくれたのは、発行されたばかりの一万チャッのピン札ばかりであったことも話のついでにつけ加えておいてよいのではあるまいか。

80人乗り「AIR KBZ」の真新しい機体

10000チャッのピン札

国内線「AIR KBZ」のメイッ行ボーディングパス。チケット代140米ドル

そのⅣ　キンマ

その日わたしは、旧友に絵はがきを出したくて郵便局へ出かけた。雨季のヤンゴンでは、ひと月のうち二七日間は雨と統計が語っているように、毎日雨、雨、雨……なのだが、スコールが去るとつかの間空が晴れあがる時もあり、そうなるとうって変わって情け容赦のない日差しが肌を焼き焦がすのである。

郵便局を後にマハーバンドーラロードを上がって宿に帰る道すがら、インド系の少女が妹とおぼしき女の子と二人でキンマを商っている小さなスタンドの売店の前を通りかかった。ヤンゴンの、特にダウンタウンでは、五〇メートルも歩くか歩かない間隔でキンマ屋が連なっているほどなので、今さら珍しくもない風景に違いないのだが、その時わたしは歯痛に悩まされていたので、キンマの葉が歯痛を和らげてくれるとどこかで読んだ記憶が急に蘇ったのである。

そこでわたしはキンマの葉を買うつもりで足を止めた。だが思いおこしてみれば、キンマの葉だけを買う男はいない。すべからく噛むために皆買うのである。もちろんわたしはキンマの何たるかを知っている。八〇年代、初めてタイを訪れた折、田舎の道でキンマを噛んで口を真っ赤に染めている老女を見たことがある。ところが、その後タイではめったにキンマにお目にかかることはなかった。

しかしミャンマーではいささか事情は異なっていた。ヤンゴンの街角だけではなく、どこの町、どこの田舎に行ってもキンマは生きていた。バゴー（ペグー）でもモールミャイン（モールメン）でもどこでも、市場へ行けば必ずキンマの葉だけ専門に商う店がある。その最たるものがエーヤワディー（イラワジ）デルタの町パテインだ。市場に入ればキンマの葉を山と積んだ店が活況を呈し、それぞれの店頭では中年女性が葉を束ねる仕事に余念がない。一歩道路へ出れば、男たちの口から吐き出された赤い唾液が遠慮会釈なく、そこかしこ路面に生なましくさまざまの模様を描いていた。キンマ屋がヤンゴンの路上以上に繁盛しているのは言うまでもない。

そんなわけでよい機会だと思ったので、わたしは試しにキンマをひとつ注文した。少女はなれた手つきで山芋の葉にそっくりのキンマの葉に水で溶いた石灰を塗り、そこに砕いたビンロウの実の粒をまぶしてから葉で包み、それをわたしに手渡してくれた。

わたしはその場でそのまま口に入れ、二、三分間噛んだ後地面にそれを吐き出した。さらにもうひとつ注文してみる。今度はビンロウジ（ビンロウの実）ではなく、別の何かを包んでくれた。これも二、三分噛んで吐く。しばらくすると舌からのど、それに頬の内側にかけて軽く痺（しびれ）を感じた。それからわたしの顔をじっと見つめる少女からキンマの葉だけ一〇枚、二〇〇チャッで買った。

道々歩きながらペッ、ペッと舗道につばを吐いてゆく。それでも口の中にカスが残りすこぶる気持ちがよくない。味も決して好ましいものではない。元来、わたしはたばこもアルコールも嗜まない性質（たち）で、そうした嗜好品には不慣れで受けつけないのである。

キンマを作る

よくもこの国の男たちはこのように不味い代物を旨そうに噛んでいるものだとただただ呆れるばかりであった。

もっとも調べてみると、東南アジアでは古くからキンマの葉を頭痛薬、胃薬、関節痛薬、媚薬として、また殺菌剤などとして使用してきたいきさつがある。キンマ文化も育まれたようだ。ケシ（アヘン）文化などよりはるかに歴史は古いとのことである。

ところで、キンマの出自について、知ったかぶりをして少し記してみたい気がしてきた。キンマとはタイ語の「キンマー（ク）（กินหมาก）」という言葉に由来することから分かるように、かつてはタイで最も一般的な嗜好品として愛用されてきたもののようだ。

キン（กิน）とは食べる、飲むという意であり、マー（ク）（หมาก）とはキンマの葉を意味している。กは無声音（息を止めて発音する）であり、特にหมากのように末子音の場合はほとんど音としては外に聞こえてこない口腔内だけの発音になる。タイ語を母語にする人たちはその無声音を感じとることができるが、われわれ日本人にはただマーとしてしか聞こえないので、はなはだやっかいな音声なのである。

したがってキンマー（ク）とはもともとキンマの葉を食べる（噛む）という意味になるが、タイ語の理解できない当時の日本人は使用されている植物だと誤解して輸入してしまった。おまけにマー（ク）のクは聞くことができず、マーは長母音なのにタイ語の長母音は英語の長母音より短く発音される（それだけタイ人はヒアリングに長けている）ので、マー（ク）はマとしてしか聞こえなかったわけだ。

かくしてこの嗜好品で使用する植物（の葉）を和名でキンマと名付けてしまい、他のインドシナの国々でもキンマと呼ぶようになって今日に及んでいる。なお学名（種名）は「Piper betel L.」で、コショウ属（Piper）に属する植物だと知ることができる。ちなみにタイ語ではこの植物を当然キンマと言うはずはなく、プルー（พลู）と名付けている。

このように日本では、本来のタイ語の意味を解せずに誤って付けてしまった名称は枚挙にいとまがない（わたしは拙著『メーサイ夜話』の中でいくつか指摘しておいた）が、わたしが小学生の頃使用した国土地理院の世界地図には、タイの中央を流れている大河チャオプラヤー川を「メナム川」と記してあったのを記憶している。正式には「メナムチャオプラヤー」（แม่น้ำเจ้าพระยา）というが、地図制作者が略して「メナム川」でもよかろうと自己流に判断してしまったことは容易に察しがつく。無論メナムとは川という意味なので、その表記は単に「川川」と言ったにすぎず、固有名詞になることはない。タイ語は修飾語が被修飾語の後にくるので「チャオプラヤー川」が正しいのである。

先般、チェンラーイ近くの洞窟にサッカー少年たちが閉じ込められて、大騒ぎになったニュースは世界の果ての国々にまで届けられ、その救出劇が感動をもって伝えられたことは記憶に新しい。その洞窟の名を「タムルアン洞窟」と各新聞が報じているのを目にして、この国のメディアがいまだ悪しき慣習から脱却していないのに驚いたものだ。タイ語で洞窟を「タム」（ถ้ำ）という。これでは「ルアン洞窟洞窟」になってしまうのだ。どうして記者は近くにいたタイ人にでもひと言聞いてみないのかわたしには不思議でならない。

今では年間一〇〇万人の日本人がタイに、一〇〇万人近いタイ人が日本を訪れるご時世に、金正恩をわざわざ朝鮮語発音でキムジョンウンなどと書き記す（習近平をシュウキンペイと呼ぶように、どうして金正恩をキンショウオンと呼ばないのか理解に苦しむ）マスコミが、「ルアン洞窟洞窟」ではいささかサマにならないだろうと思うのはわたしだけではあるまい。

さて、キンマのテーマから逸れて長広舌に及ぶことが本意ではないので、最後に少女から買い求めたあのキンマの葉が果たして生薬鎮痛剤として役に立ったか否か。宿に帰り早速その葉を手揉(ても)みして、絞り出したエキスを痛む歯に塗ってはみたが、一〇枚全てを揉み出してひたすら塗った甲斐もなく、何の効果も得られないまま、その夜またしても歯痛に悩まされひと晩中まんじりともせずに夜を明かした次第である。

そのV　ヤンゴンのホテル事情

インドシナの国々のアコモデイション（ホテル、旅社、ゲストハウス、民宿）事情で特に感じることは、次に行ったら何もかもが変わってしまっていた、といった変幻自在性である。その典型がタイで、長い歳月タイに関わって来て、バンコクで、あるいは地方の都市や田舎で数限りなく旅宿を重ねてきた身として、このことは肌で実感している。

ミャンマーの場合もまたしかり。わたしが初めてヤンゴンを訪れたのが二〇一一年の七月で、二回目が翌八月である。三回目が二〇一二年一一月なのであるが、この二回目と三回目の間隙に宿泊事情ががらりと変わった。

二〇一一年三月、テインセイン政権が「民政移管」を宣言して以来、「民主化」、「民主化」とこの言葉がひとり歩きを始めた。これに反応して欧米やアジアの国々の資本やビジネスマンが大挙してヤンゴンに押し寄せたことが、にわかにホテル業界を活気付かせたわけである。わたしはこの時まで二五年ばかりの間、あちこちひとり旅を重ねてきたが、予約して宿泊するというスタイルの旅はしたことがなかった。現地に着いて自分で当たる、これがわたしの長い間の旅の流儀であったからである。しかしながら、三回目のヤンゴン行きでついにこの流儀を破らざるを得なくなってしまった。ヤンゴンのアコモデイションは、かつて一度としてなかった空前の宿泊者で占拠されてしまったのである。いきなり出かけて宿を得るなんて、いかにわたしの宿探しの能力が長けていても、一〇〇パーセント不可能だと知ってしまった。選択の余地のない状況に追い詰められて、仕方なしにヤンゴンのツアーエイジェントへメールを入れる羽目になった。

Panorama Hotel

一回目の予約なしミャンマー行きで宿泊したのは、ヤンゴンのダウンタウンの中心に位置する「Panorama Hotel」というホテルで、旅行者が必要とするものは周辺に何でもあるというまことに便利なロケーションにあった。鉄道の旅の好きなわたしは、荷物を持って

Panorama Hotel

歩いてでも行ける国鉄ヤンゴン駅が近いという理由だけでこのホテルを選んだのである。宿泊代はシングルルームで一泊三二ドルを三〇ドルにディスカウントした。実はこれでもタイのホテルに比べれば割高だった（タイなら二〇ドルもしない）が、他のホテルを当たってもこれより条件の良いところはなかなか見つからなかったのである。この時わたしはこのホテルに一〇泊した。二回目ももちろん飛び入りでレセプションに直行し、一ヶ月前と同じ三〇ドルでと告げると、わたしを覚えていた女子スタッフがすぐオーケーと言って、同じ部屋の鍵を渡してくれた。今度はまず三泊し、中部ピーへの旅に出、戻って来て再び飛び入りで三夜をすごした。

ところがである。たった一年余の後、同じ部屋が何と一二〇ドルと四倍に跳ね上がったのだ。資本主義社会のルールに疎いミャンマーのホテル経営者は市場の相場などに頓着することなく、主観的独断で宿泊料金を定め、めったなことではそれを変更しない頑固者が多いので、この時も金儲けができるとここぞとばかり高飛車な値上げをやってのけたのだ。もはやPanorama Hotelはもとよりヤンゴン中のアコモデイションが常に満室となり、わたしはとうとう兜を脱いで、躊躇することなくヤンゴンのツアーエイジェントにメールを打ち、予約を入れた次第である。宿泊できればどこでもよいというアチラ任せの予約である。そこで提示されてきたのが一泊五七ドルの「City Star Hotel」、これが目下最も安価なホテルとのことであった。

City Star Hotel

そこでわたしはとりあえず二泊だけ予約を入れ、自余は自力で探すつもりでヤンゴンに出かけた。着いてみると予想通り相場に見合った部屋ではない。タイならどう考えても一五〜二〇ドルクラスである。おまけにエイジェントスタッフの出張費五ドルを加算されて総額一一九ドル支払わねばならなかった。部屋の意匠も何もかも安普請づくめで全く気に入るものではなかったが、これまで二〇数年間度々最低レベルのホテルで止宿を重ねてきたわたしは、贅沢を言う習慣をなくしていたので我慢はお手のものだった（それでも唯一足触りの良い木製の床はわたしの好みを満たしてくれた）。朝食のビュッフェ（ミャンマーのアコモディションはすべからく朝食付き）にしても、こんなにも経費節約をするのかとあきれるほどのお粗末、金取り主義がみえみえの料理なのである。

とはいえ、こんな瑣事をいちいち気にしているようではインドシナを旅することなぞ初めからしない方がましなので、放(ほ)っておくことはできたのであるが、わたしがどうにも我慢のなら

City Star Hotel

なかったインベーダーが外からやって来た。すでにチェックインの時から、近くで読経の声が響いていたので、目の前の学校か寮で仏教行事でもあるのだろうぐらいに思っていた。それでも窓を全て締め切ってもまだ音声は生々しく、部屋の内部に響き渡るほど強い。散歩がてらにその音響の許を訪ねてみると、大通りに面した寺院の山門にセットされた巨大な拡声器から、耳をつんざくほどに流れていることが判明した。まあ、仏教の国に来たのだからこれはある意味当然か、人々が床に就く頃には止むであろうと考えた。かつてメーサイで暮らしていた日々、毎朝五時に近くのイスラム教のモスクから大音響で朗々と祈りの声が響き渡るたびに目を覚ましてしまったことも思い出される。

だがしかし、暗闇が迫って来ても、わたしが就寝しても、この拡声器の読経の声は一向に止むことはなく、響きも弱まってはいない。仕方なくその音をシャットアウトしようと耳栓を使っては見たものの、それは元々睡眠障害もあるわたしを眠りへと誘ってくれるものではなかった。そうか、わたしは仏教寺院の聖職者の配慮を甘くみてはいけなかったのだ。仏の尊くありがたいお経をひとりとして残さず、衆生庶民に聞かせてあげたい、耳の遠いお年寄りにもきちんと聞こえるように、拡声器を用いて届けてあげなければかわいそうだとの優しい配慮を。さらになおも得心したのである。一日二四時間終始仏の民に尊いお経を届けなければ、彼らは眠ることさえ叶わないであろうということを。

一方でわたしはなぜか、ナチスのホロコーストから生還したフランクルの『夜と霧』にあったひとつのエピソードを思い起こした。それは確かナチスが人間はどれくらい単調な音に耐えられるかを実験してみようと試み、捕虜のユダヤ人の男ひとりを狭い独房に閉じ込めて、これでもか、これでもかと単調な音を強制的に聞かせ続けたというものだ。その結果、男は気が変になってしまったということだったと記憶している。

ともあれわたしは、翌朝寝不足の眼をこすりながらも二泊滞在後のホテルを探し始めた。無論ターゲットは安宿である。まずは「Okinawa guesthouse」、ずっと先まで詰まっているという。次は「Garden guesthouse」、ここも同様いつ空くかわからないと告げられる。懲りずに三番手「Yangon guesthouse」、ついに部屋はあったではないか！　ところが小ぎれいな外観とは裏腹に、これはもはや人間の寝る所ではないと、さすがのわたしもたじたじとなる、まさに囚人の独房以外の何物でもないあり様であった。日本の刑務所の独房の方がはるかに立派というべきだ。それでも一泊一二ドルなんて！　最後に隣接のゲストハウスで訊けば、そもそもミャンマー人専用の宿泊所で、異国の人種はご遠慮願いたいとのお告げ。

Beautyland Hotel II

そこでゲストハウスは諦め、烈暑の中を歩いて、「SAKURA TOWER」の裏にある「Beautyland Hotel II」に出向いた。このカウンターの男の対応は好感が持て、明日七時に部屋が空くか空かないかが判明するので、電話を入れて欲しいという。感触はありそうだ。その足で近くにあるPanorama Hotelへ。昨年はあれほど賑わっていて、日本人のたまり場

Beautyland Hotel II

だったロビーにも日本人の姿は皆無、インド系の客がわずかに寛いでいる程度でむしろ閑散としている。やはり過剰の値上げが響いているのは明らかだった。一泊三〇ドルでも四人宿泊すれば、一二〇ドルの収入があることも経営者は考えるべきではないか。

ともあれ翌朝七時、スコールの中、Beautyland Hotel IIに駆け込んだ。すると、九時半に再度来てくれとのこと。どうやら部屋はあるらしい。すぐホテルに戻り、チェックアウトをして再びBeautyland Hotel IIに向かった。まだ部屋の掃除が済んでいないとのことだったが、その場で予約、二日間の宿泊費六〇ドルを支払い、二階のロビーで待つことにした。部屋は三階で、階段を上がった(もちろんエレベーターはない)すぐの所にあった。部屋のつくりからいえば、ホテルではなくゲストハウスだ。ベッドが二台、机、台付テレビ、扇風機、洗面台がほとんどを占めていて、わずかに移動可能な残りの空間があるだけだ。わたしとしては、ベッド一台と机だけあればあとは使用しないので、外へ出して欲しいのだがそうもいかない。テレビは観ないのでない方が好都合なのだが、安宿はどういう訳か何はなくともテレビだけはある。テレビがあるだけで五ドルから一〇ドル宿賃を上げることができるからだ。もちろんエアコンあり、ホットシャワーの出る浴室付き。とはいえ、昨年のPanorama Hotelの三〇ドルの部屋と比べれば、月とスッポン、天国と地獄である。その上、他のホテルにはない特徴が二つ。ひとつはスタッフ全員が男性で女性の姿が見えないのだ。他のひとつは珍しく一〇時という門限があったのである。わたしは門限を犯して帰り、えらい苦境に陥った。鉄格子の門はかたく閉ざされ、呼べども叫べども誰も出てはくれない。これは朝まで待たねばならないと観念した矢先、ようやく玄関が開き、スタッフが鉄門を開けてくれたので、ベッドで眠ることができたのである。

こんな事情のホテルではあったが、意に逆らってわたしはなんと九日間もこの寝心地の悪いベッドに体を横たえなければならない羽目になってしまった。悪夢のようなひどい下痢と胃痛に襲われたのだ。前回のピーへの旅でも、生まれてこの方、経験したことのないような激しい下痢に見舞われていたが、またしてもその悪夢が再現されたのである。日にいく度トイレに駆け込んだか覚えていない。それも間に合わなくて、意識なく勝手に下って下着が汚れてしまうのを防ぐこともできない。ずっと以前、タイ通いをしていた頃、やはりまるで突然肛門が尿道に変わってしまったのではないかと思えるほど、自分の意志とは無関係に大腸の内容物が滝のごとく流れ下って、なす術がなかったことを何回か経験したことが甦ってきた。暑さで消化器官がマヒしてしまうために起こる現象で、タイ人もよく見舞われるのだと聞いたことがある。ついでに言えば、その後を含め八回ミャンマーの旅を試み、通算二〇〇日弱滞在したのであるが、まるで通過儀礼のように初めの数日間、ほとんど毎回下痢に見舞われているのである。

ともあれ、わたしはひたすらベッドに伏して終日、持参した『紅楼夢』を読んで過ごすしか手はなかった。この『紅楼夢』、つけ加えれば、チェホフの『桜の園』とはまた別の中国版没落貴族の物語であるが、中国三大小説の中では一番読書意欲をそそる作品ではなかろうか。病痢の無聊を慰めるには実にすぐれた自家薬籠の役目も果たすものだ。おかげでわたしは九日間の療養後、無事この時の目的地南部のモールミャイン（モールメン）に旅立つことができたのである。

Queen's Park Hotel

出発に先立って、いずれヤンゴンに戻ってきた時のため、老婆心も手伝ってホテルの部屋探しをして、さらにバンコクに帰るエアチケットも確保することにした。まず、インターネット屋に出かけ、女房と友人にメールを打った。持参した小型ノートパソコンが宿のWi-Fiでは使用できなかったからである。この店では有線でわたしのパソコンが利用できた。一時間五〇〇チャッ。昨年、ヤンゴンの街角でこのようなインターネット屋は見かけなかったし、まして携帯電話を携行しているミャンマー人はめったにお目にかかることはなかった。それがもうホテルではWi-Fiが入り、ケイタイ事情も一変していた。数年前、タイではケイタイが家庭電話より早く普及してしまったが、ここヤンゴン（ミャンマー）では、スマホがケイタイを追い越してあっという間に普及してしまっている。今ではそこかしこで若い男女がスマホの画面を指でスイスイやっている光景は日本とさして変わらなくなっている。

わたしはかねて調べておいたアノーラッタロードとボーミャットトゥンストリートが交錯する地点にある中華系の「Queen's Park Hotel」に直接出かけた。そこで一〇日後ヤンゴンに戻って来てから

Queen's Park Hotel

の宿泊のため、三日間予約し、デポジットとして一日分三五ドル支払っておいた。これを初めとして、このQueen's Park Hotelがこの後しばらくわたしの常宿になるのである。帰路のエアチケットの方も「Air Asia」のオフィスまで出向き、バンコク行きの格安チケットが九九ドルで手に入った。そこで心おきなくヤンゴンを後にして旅立つことができたのである。

さて、南部の町モールミャインから戻り、予約しておいたQueen's Park Hotelに直行した。中華系なのでチェックインも格式ばらずすぐ済んでシングルルームが手に入った。善し悪しこもごもの部屋である。まず、あっという間に沸騰するポットのお湯で中国茶がいつでも飲めるのが、お茶の好きなわたしのお気に入りになった。温水シャワーはいつでもふんだんに使える。それで洗濯も自由にできる。窓からは適度の自然の明かりが入ってくるので、電気を点けずとも書きものも読書もできる。机も大きい。そして静かなのが何よりよい。ベッドは正にシングルベッドで左右に寝返りはできないが、寝心地は悪くはない（シングルと言っても、いわゆるダブルベッド一つが一般的で、ダブルの部屋と呼ぶのはベッドが二つある部屋を指すのが東南アジアのホテル）。マイナーな面の筆頭は停電、次がエアコンの故障であるに違いない。

わたしはホテルの宿泊に先立って、まず実行するのがレセプションのスタッフとハウスキーパーのそれぞれひとりと親しくするのを流儀としている。ほとんどの場合、一、二泊ではなく、気に入れば何泊も重ねて日常生活様の宿泊をするので何かと都合がよいからである。この時は珍しく中国系ミャンマー人のミンミンという中年のスタッフと仲良くなり、ゾーラウィンオーという名の少年ハウスキーパー（全て男のみ）にはチップを渡す際、まずバスタオルを二枚欲しいと言っておく。彼は「サンキュー」に続けて「サー」をつけたが、近ごろでは極めて珍しい。そこで三年間ほとんど休日もなく働いているというので、給料はと問えば、一ヶ月六万チャッ（約六〇〇〇円）との返事である。これだけの会話で、滞在中いろいろの便宜に与かれるのだ。もちろんその通りになって、ゾーラウィンオーはわたしが言わなくても、毎朝部屋の掃除を入念に行ない、バスタオルは必ず二枚用意し（わたしがもう一枚欲しいと言えばその望みもかなえてくれる）、パジャマも丁寧にたたんでベッドの上に置いておいてくれる。また、わたしにとっては日記を書いたり、本を読んだりする机が必需品なのだが、散らかった机の上をきれいに片付け、いつでもお茶が飲めるように湯沸かしポットをセットしてくれているのである。ミンミンの方も、すぐ冗談を言い合える仲になったら、わたしの頼みは親身に聞いてくれる。市内の訪問先（この頃ヤンゴンの知り合いがかなりできていた）へ行く時など、地図を描いて説明してくれ、かかる時間・距離、そしてタクシー代はいくらぐらいか、運転手に示す行先をミャンマー語で書いたメモを渡してくれたりした。

停電とエアコンの故障に付き合いたくなければ、東南アジアのホテルには宿泊しない方がましである。停電の方は頻繁に起こるが、外の発電機に切り換えれば回復する場合が多いので、大して不便は感じない。せいぜいパソコンの起動が遅くなり、停電の度にそれをしなければならない煩わしさが増えるくらいだ。ところが、エアコンの故障となると、へたをすれば一日何もできないで終わってしまう憂き目に遭ってしまう。そんな時、実に頼りがいのあるのがミンミンだった。夜半、エアコンが故障してミンミンに訴えると、すぐエンジニアをやると言うので、明朝でよいと言っておいたら、翌朝早くエンジニアを二人よこした。Panorama Hotel や Beautyland Hotel II でもエアコンの修理にエンジニアがやって来たが、腕に入れ墨なんかの入ったどことなく胡散臭い兄ちゃん風情が多く、これが本当にエンジニアなのかと疑わしめる人物である。そして大抵修理不可能となって終わるのである。果たしてこの時も、昼近くまで修理に付き合ったがラチがあかず、しびれを切らして外出してしまった。夕方帰ると、一応修理は完了していたが、スイッチを切ってもエアコンが切れない。仕方なくミンミンだ。その場でエンジニアにわたしと共に部屋に行けと命令を下してミンミンもイラついている。ところが、エンジニアは手に負えないとギブアップした。わたしに謝り、明日改めて来ると告げて帰ってしまった。翌朝一〇時、もう一人のエンジニアが約束通り来たには来たが、修理できずに部品を持ってどこかへ行ってしまった。仕方なく待っていたが、それしき三〇分しても戻っては来ない。これで今回の修理は一件落着とはいかず、七日後のチェックアウトまで毎日不便を強いられる結果になった。

停電で怖いのはもう一つエレベーターである。夜外出のためエレベーターに乗った。「G」ランプが点きドアが開くまさにその瞬間、パッと明かりが消えた。そのままひとりわたしは真っ暗闇の中に閉じ込められてしまった。ドアの外では人の立ち騒ぐ音がしているが、誰も事故に気付いてはくれない。およそ五、六分後電気が点き、ドアが開いたので外に出たら、レセプションの男がわたしを見てびっくりしている。その男がやって来たミンミンにわたしが閉じ込められたことを説明すると、彼はわたしを見て大笑いした。わたしは一二年間バンコクの高層コンドミニアムの一六階に住んでいたが、この間三回ほどエレベーターに閉じ込められたことがある。不思議だがいずれもわたしひとりの時の出来事であった。そのエレベータには非常用の電話機が設置されていたので、すぐ救出して欲しいと伝えることができたので、ほどなく難を逃れることができたのだが、ひとり閉じ込められると心細いこと限りがない。

このエレベーターの小事件以来、ミンミンとの仲は益々親密になったようで、彼は一層わたしに色々気を遣ってくれるようになった。もちろん一番助かるのは部屋代のディスカウントである。前回一泊四〇ドルの宿泊代を今回三五ドルにしてくれた。本当はドルとチャッのレートが前回とは異なっていたので、少し計算してみると、何と一日五ドル多く払うことになったので、実質的にはディスカウントにはなっていないのだが、ミンミンの心遣いには感謝しなければならない。その次の滞在の時も、わたしが地方の旅から戻って再び宿泊し、合計一五泊することになったので、すでに宿代を最後の日まで払ってあったにもかかわらず、ミンミンが長い滞在なのでマネージャーに話して、四〇ドルの宿代を残り五日間は三五ドルにしてくれ、チェックアウトの時に二五ドル返してくれるということになった。一度払ってしまった宿代を返却するなどということはタイでは絶対にありえない話である。果たしてチェックアウトの日、この話はきちんと実行され、わたしは二五ドルを受け取ったので、ミンミンには心底感謝したのはもちろんである。

ところがである。ミンミンには全く関わりのないことなのだが、この返却されたドル紙幣がもめ事の種になった。東南アジアを旅する人間がつとに知るところとなっていることの一つに、米ドルの必要な国（ミャンマー、カンボジア、ラオス等）では、ドルのピン札を所持していることが常識となっているのである。札に折り目がついていたり、シワがあったり、ましてや少し傷があれば、またその他相手がおかしいと判断しただけでも、まず突き返されて使いものにならない。わたしはこれまでホテルの支払いをはじめ、店での買い物などでいく度バトルを繰り返してきたかはかり知れないのである。

わたしの方は新ピンの札を払っても、おつりは使い古したビミョウな札が返ってくる（わたしは一ドル札から一〇〇ドル札まで所持し、おつりのない支払いを心がけていたが）。その体験が最も多かったのがカンボジアの旅であった。

ここで少し脇道にそれて、ついでにぜひ書いておきたいことがある。内戦が終わってほどなくの頃、プノンペンの行きつけのホテルに長期滞在し、一度チェックアウトしてから三日間海浜の町に遊んで戻って来ると、受付の女の子が三日間の溜まっている宿代を支払うようにと催促したのである。わたしがこの三日間は宿泊していないと抗議しても、頑として聞き入れようとはしない。わたしは過去に、宿泊代を支払っているのに、支払ってはいないとまた請求された経験があり、それ以来一日ごとに宿泊代を支払って、必ず領収書をもらってチェックアウトの日まで部屋の机の抽斗にしまっておき、万一二度の請求があったらそれを証拠に持ち出して処理してきたが、この時はそもそも宿泊していないのだから、証明すべき領収書もなかった。そこで日記を持ち出したり、その他あらゆる手を使ったりして宿泊はしていないと抗弁した。とうとう彼女の方が折れて落着したが、もし彼女が頑強な態度を改めなかったら、二度とこのホテルには泊まらないと宣告して、もちろんそのままその場を立ち去るつもりであった。

さて、話を元に戻すと、レセプションで二五ドル返却の折、こまかいドル札がないので、五〇ドル札を渡すから二五ドルおつりをくれないかと言うので、わたしの方はケチのつけどころのない新札で二五ドル上げたのである。ところが、受け取った五〇ドル札が微妙なライン上にあるドル紙幣であったのだ。しかしながら、このところドルはミャンマーでしか使用していないので、次回このホテルで宿泊代として払えば問題にはならないだろうと高をくくった。そのわたしの呑気な判断が甘かった。二ヶ月後、Queen's Park Hotelにやって来て、チェックインでは三日分一〇五ドル（雨季料金で一泊三五ドル）を新札の一〇〇ドル札と五ドル札で支払った。三日後、二日分の宿泊代（七〇ドル）として件の五〇ドル札と真っ新の二〇ドル札をカウンターの女子スタッフに渡した。すると、わたしの危惧が現実となったのだ。彼女は訝しげにその紙幣をためつすがめつ眺め、キャッシャーのところへ持ち込んだ。そして引き返してくるなり、この紙幣は問題があり使用できないとわたしに告げたのだ。そこでわたしは、これは前回ここでおつりとして渡された紙幣で、渡したのはあなたではないかと抗議した。彼女は再びキャッシャーにその事を告げに行った。しばらくして戻って来て、キャッシャーの領収書をわたしに渡したが、明らかにブスッとしている。そこであなたがおつりとしてわたしに渡した当の紙幣がどうして問題になり、使用できないと言ったのか理解できないと言うと、またもダンマリを決め込んでいる。もちろん謝罪の言葉は出てこない。今後のこともあるので、わたしはカバンから持っているドル紙幣を全て出し、日本の銀行で両替してまだまったく使用していない新品のドル札ばかりであることを確認させて、これをいつも使っているのだと告げた。それでも彼女は黙して語らずの態度を示していたが、隣にいた同僚の女子スタッフが見るにみかねて代わりに「no problem」と答えた。

そもそもこのレセプションを担当する女子スタッフ四人は、このホテルに投宿した当初からわたしには心証が良くなかった。その最初は、わたしが部屋の冷蔵庫のコーラを飲んでもいないのに、一本飲んだ分を支払えと請求してきたのがこの女子四人組である。ホテルの部屋付冷蔵庫の有料飲料は市販のものより高いので飲まないことを原則としてきたし、さらにコーラはもともと好きではないのでわたしは飲まないのである。わたしが部屋に入った時、前の客が飲んだとおぼしきコーラの空き缶が一本あったことは知ってはいたが、掃除婦が片付けてカウンターに連絡したと思っていた。恐らくこの連絡がきちんと行われていなかったことが、この事態を招いたのであろう。もちろんわたしは頑として飲んではいないことを主張した。こういう杜撰な仕事ぶりが原因で客の方が迷惑を蒙るのはよくあることなのだ。

Panorama Hotelでもあった。チェックアウトの際、やはり飲んでもいない水とビールの代金を請求されたのだ。ビールは飲めないからそもそも飲んではいない、水も一日一本の無料分しか飲んでいないとわたしは抗議したが納得しない。ところがそのうちビールは払う必要はないが、水は確かに飲んでいるので払わねばならないと変わったのだ。そこでわたしにはこのような事態に至った謎が解けたのである。まず水であるが、わたしが数日間ピーへの旅に出て再び同じ部屋に戻って来た時、持っていたボトル一本の水を冷蔵庫に入れておいたので、ハウスキーパーが二本飲んだと誤解してカウンターに報告したのに相違ない。このことを力説したのだが相手は全く引き下がらない。それに反して、ビールの方は払う必要のないことを自ら認めたのは、自分たちの手違いが判明したからだろう。実はわたしはその後、静かで眺めの良い九階の部屋へ移ったのだが、その時まだ前の客の飲んだビールの空き瓶があったので、ハウスキーパーがわたしが飲んだと決めつけていたのだ。その後、その客の会計を調べてみると、ビール代も確かに支払い済みになっていたのだと推察されるのだ。しかし依然として、水の方はわたしの主張は断固として退けられたままである。実は前回宿泊の折、一度電話を掛けたことがあったのだが、その使用料が請求されていなかったことを思い出し、その借りを返そうとこの時は妥協して、水代を払って損得勘定をオアイコにして、ホテルを後にしたのである。その後、旅先のホテルで部屋換えをするときには、必ず冷蔵庫の中を確認することを習慣としている。

さて、女子四人組の話に戻すと、持参のパソコンをロビーのパソコン室でインターネットに接続できると彼女たちが言うので、わたしはノートパソコンを持ち込んで、日本の友人・知人にメールを送信しようとした。ところが、いくら操作をしてもインターネット不可の表示が出てきて送信できないのだ。そこで諦めて彼女たちにそのことを伝えると、こちらの言うことには一切耳をかさず、いきなり一時間四〇〇チャッなので、二〇分分一〇〇チャッ払えときた。インターネットが通じず全く使っていないといくら説明しても、金を払えの一点張り。こんな瑣事でえんえんと時間を浪費したくないので、うんざりしながらも払うしか術がなかったのである。

概して、ミャンマーのホテルの接客は好感が持てぬ場合が多いが、その理由は従業員にサービスの意識が薄く、「サービスして上げている」というメンタリティーの持ち主が多いからである。「お客様は神様である」などという接客態度も非常に気色の悪いものだが、「お前をホテルに泊めてやるよ」も同様あまりよい気分にはなれない。

三五年前バンコクの空港に降り、深夜二時か三時にタクシーを駆って目指すホテルに着いた。受付の兄(あん)さんが言った。「部屋はない」。わたしが何とかならないかといくら懇願しても、「お前はクスリはやらないのか、ヤクならあるよ」とか言って、ノラリクラリとあしらってくる。これは部屋はあるとにらんだわたしは、「俺はヤクはやらないのだ、とにかく疲れていて眠い、部屋はあるだろう」と伝法を利かせると、「泊めてやってもいい」と鍵をホイと出した。今ではこのホテル、公序良俗の中級ホテルとして多くの外国旅行者が利用している。さすがに当世タイでもこのような態度のホテルは稀になっている。

Queen's Park Hotelの朝のビュッフェでも客のセルフサービスをよいことに、働いているのだか遊んでいるのだか分からないボーイがいる。そのひとつがテレビである。わたしは辛くない中華のビュッフェが気に入っていたので、少食を返上して割と時間をかけて一人前くらい食べていたのだが、絶えずテレビの音に悩まされた。普通、大抵のホテルでは、朝のニュース番組を放映しているものだが、ここではチャンネル権をボーイたちが完全に掌握していたので、彼らは好きな番組を自由に観ることができたのである。わたしが初めてQueen's Park hotelに宿泊した当時、ビュッフェのレストランには中華系なので中国人はもちろん、韓国人や日本人、欧米人も多く様々の国籍の客が大きな中華料理の丸テーブルの座席全てで、にぎやかに食事を摂る風景があった。ところが通うにつれて徐々に客が減り始め、わたしひとりがしばし黙々と食べているといった淋しい景色になる時もあった。多分、投資の下見客が減ったためと市内に新しいホテルが建ったためであろう。時として、客の数がボーイ四人よりも少ない状況も現出していた。そこで益々ボーイたちは自分たちの思い通りに振る舞い始めた。彼らは客の迷惑をよそに、アメリカや香港のドラマや映画番組を好んで観ていた。そのほとんどが派手なアクションもので、銃でバンバン撃ち合ったり、車が火だるまになってすっ飛んだりするようなステロタイプのテレビである。これが遠いカウンターにいるボーイにも聞こえるように、ボリュームを響かせてかけているので、われわれ客には大そう不快な気分を与えていたのである。

ともあれ、従業員教育などはあまりなされてはいないし、彼らの方も一ヶ所に長く勤める気持ちは少ないのである。タイでも同様だが、次回同じホテルに行ってみると、前回いたスタッフがほとんど入れ変わっていたというのもよく経験する。三、四ヶ月のサイクルであちこち転職を繰り返す御仁も稀ではない。

Eastern Hotel

さて二〇一三年七月、五回目のミャンマーの旅はやはりQueen's Park Hotelから始まった。その折、以前散歩中近くに六階建てのさほど大きくないホテルを見つけ、外にいたボーイに声を掛けたら、少し前まで一泊一五ドル（恐らくPanorama Hotelが三〇ドルの頃）が、突然四五ドルに大幅値上げされたと教えてくれたのを思い出して、再びそのホテル「Eastern Hotel」に足を運んでみたのである。すると、雨季料金で一泊三五ドルになっていた。わたしは旅先から予約の電話を入れると伝え、約束通りマンダレーより電話を掛けて、二日間の予約をしてヤンゴンに帰った。

これを境にこのEastern Hotelが以後第二の常宿になった。実際に泊まってみると、初めからこのホテルを選んでいればと悔やまれるほど

Eastern Hotel

カンファタブルな部屋であった。シングルということでチェックインしたのだが、実際は全室ダブルの部屋で、身をもてあそぶばかりの空間にセミダブルベッドが二台あり、シャワー室も余裕をもたせてあるので、洗濯も自由自在にできる。何はなくとも、わたしは机を望むツーリストだが、細長くはあるが十分ものを書くスペースのある机が設けられていたのもわたしが気に入った理由である。これをシングル料金にして泊めてくれるのだ。さらに付け加えてみれば、大きなクローゼットの中に、ダイアル式のしっかりした金庫が付いていて、貴重品はすべからくこの中に入れておくことができて安心である。またある時気が付いたのであるが、このクローゼットの上、人目には決して触れることのない所に、湿気除けであろう木炭の束が置いてあったので、そのさりげない配慮にも感心したものだ。エアコンの風が直接ベッドに当たらないように工夫されていたのも心にくい。総じて静かで実に居心地がよい部屋であった。要するに、規模は小さいながらもあらゆる点で同じ三五ドルのQueen's Park Hotelの部屋より格段によかったのである。

早速例によって、スタッフの懐柔を試みたのはもちろんである。部屋のハウスキーパーの少年には、チップをあげる際すかさずバスタオル二枚を頼んで仲良くなった。レセプションのカウンターには、まだ大学を出たばかりと思しきチョウチョウという名の女性とイヒという名のやはり二〇代の女性スタッフが昼間の業務をこなしていた（夜間は若い男性スタッフが三人ほど宿泊客の相手をしている）。チョウチョウは元気溌剌、テキパキと仕事をこなし、客の言うことは何でも聞いて親切に要望に応えていた。イヒの方は呼びづらいので、女性を意味する冠頭語マを付けて、マ・イーと勝手に呼ぶことにした。マ・イーはチョウチョウとは対照的にしっとり落ち着いていてただ黙々と客に応対していた。わたしはチップを渡す時、できるだけおしゃべりをしてこの二人に名前を覚えてもらった。地方から夜行列車に乗って早朝ヤンゴン駅に着き、その足でレセプションに行っても、チェックインタイムはあってなきがごとくで、時間にかまわずチェックインできて部屋で寝不足解消を決め込むこともオーケーである。

次にわたしがヤンゴンにやって来たのは、半年後の二〇一四年三月である。初めの三日間はインターネットで予約を入れておいたQueen's Park Hotelに滞在したのであるが、その後すぐEastern Hotelに移った。ミンミンが別のホテルに移ってしまったことも理由のひとつに数えられないことはないが、前回の印象があまりにもよかったからである。

レセプションに予約に行くと、乾季料金で一泊五〇ドルになっていたが、部屋の中でWi-Fiが無料で使えるというので、これは大きな魅力であった（Queen's Park Hotelもこの時は四五ドル）。部屋に入り直ちにインターネットを試してみると、YouTubeの動画は途切れるがその他は立派に稼働する。とにかく自分のパソコンが使え、部屋に居ながらにしてメールが送付できるだけでもありがたい。早速女房とskypeで長話しをした。聞いてみると、ホテル内には三種類の電波「Eastern Hotel 1〜3」が流れていて、これが時と場所によって強弱があるとのこと。そこで、わたしはパソコンを持ってまるでジプシーのごとくウロウロして、館内をくまなく探索し、最も電波情況のよい部屋を見つけて、チョウチョウに部屋換えをせがんだ。彼女は嫌な顔もせず、わたしの我儘を聞き入れてくれ、空いている部屋があればいつでも鍵を渡してくれた。マ・イーも自ら一番電波のよい部屋を見つけておいてくれ、わたしにその部屋をあてがってくれた。

この年の七月と八月、雨季たけなわの時期に二回またEastern Hotelに滞在した。すでに四月、一二年間のバンコク生活を切り上げ帰国を果たしていたが、横浜から遠路ミャンマーへ出かけて来たのである。もちろんチョウチョウもマ・イーもわたしを覚えていた。マ・イーは六階のインターネットが最速の部屋を確保しておいてくれた。いずれも雨季料金になっていて、一泊三八ドルと安くなっていた。ヤンゴンの雨は半端ではない。一ヶ月の内二六・一日が雨だと雑誌の統計が示していた。いきおい部屋に閉じ込められることになる。雨の合間をぬってスーパーに出かけ、買い物ついでにちょっと美味しいチョコレートを買って来て、彼女たちにプレゼントしたりした。

マ・イーがひとりで仕事をこなしている時に、郵便局に行く必要があり、彼女に地図を見せて尋ねると、一応道を辿って教えてくれたのだが、自信がないらしくわざわざ奥まで訊きに行ってきて再度説明してくれた。それを聞いてみると、先ほどの説明とは正反対の道なのだ。郵便局のありかは知っているようだが、どうやら彼女は地図オンチだと判った。彼女の説明通りの道を歩いて行っても郵便局は見つからず、通りの人に尋ねると異なる場所だと教えてくれた。以前、チョウチョウに雑誌社のありかを聞き、その通り辿って行くと見事その場所に行きついたが、こちらは実に正確であった。またの時、バンコクに電話をする必要が生じ、この時もカウンターにひとりいたマ・イーにその旨伝えると、急に声を低めてわたしの耳許にささやいた。ここで電話をすると一分で二ドル（約二〇〇〇チャッ）と高いので、外の電話屋で掛けた方が安いと言う。そこでまた地図を描いてくれたのだが、改めてわたしが描いて確かめた。その電話屋へ行ってみると、タイには掛けられないと言う。隣にいた男がインターネットカフェに行けば安くできると教えてくれたので、ハッと気付きマ・イーもインターネットカフェへ行けと教えてくれたのだと悟った。ところが、インターネットカフェはマ・イーが教えてくれた所とは全く別の場所にあった。やはり彼女は方向オンチだったのだ。インターネット屋を探して電話を掛けてもらったら、何と五〇チャッ也。マ・イーのホテルの利益を無視した忠告に感謝感激！

この滞在で気付いたことは、ミャンマー人の客が圧倒的に増えたことである。朝のビュッフェに行くと、元々欧米人は少なかったが、以前とは異なり外国人の姿はまれで、若いミャンマー人が主流になっていた。食事中も大声でおしゃべりしたり、歩きながらスマホで電話をしたり、必ずしもマナーがよい方ではない。その声が二階にまで響いてきたほどである。わたしの対面の部屋からインド系の家族がやはり一晩中ドアを開け放ったままで、大声でしゃべっていた時もあった。わたしはこれが最後の滞在となると考え、客のマナーの悪さや、ビュッフェのメニューが十年一日のごとく常に同じで何日も同じ料理を口にしなければならない不満など、またこのホテルの愛すべき素晴らしさなど、こもごも合わせて部屋に備えてあった「Your Valuable Comments」の中に暇にまかせ、詳細に記してチェックアウトしたのである。

それから三年後の二〇一七年三月、アウンサンスーチー政権の賜物かどうかは判らなかったが、鉄道やバスでは足を踏み入れることのご法度だったモールミャイン以南の地にも入ることが可能になったという情報を得たので、またもや旅心をそそられてバンコクに飛んだ。

人生の六分の一の時間を過ごしたコンドミニアムのその同じ部屋でしばらく懐旧を温めた。わたしが買って使い、そのまま残していった冷蔵庫が今もまだ置いてあり、当時のままの部屋の意匠やその匂いが住めば都、そこで暮らした日々を想いおこさせてくれた。ミャンマー大使館でビザをとり、陸伝いに冒険覚悟でヤンゴン入りを企てる。

そこでまず、カンチャナブリーまでを列車で行き、プナムローン村で国境越えを果たした。そこから五時間半、トラック野郎の車に乗せてもらってダーウェイの町まで移動し、夕方ミャンマーの地を踏んだのである。その後、イエーまではバスで北上し、そこから懐かしいモールミャインまでは鉄路の旅を選んだ。大河タンルイン（サルウィン）の畔の思い出の宿「Sandalwood Hotel」に旅装を解いて数日遊んだ。そして夜行列車に揺られながらヤンゴンに入ったのである。ミャンマー入りしてすでに一三日が経っていた。

ヤンゴン駅に到着した早朝五時一五分、徒歩でも行けるかつてのBeautyland Hotel IIを訪ねてみた。飛び入りである。部屋はあった。しかも馴染んだかつての部屋をあてがってくれた。二五ドル。むろんわたしはEastern Hotelに宿泊するつもりで日本を発ったのであるが、バンコクよりEメールを送ってみると、何と目下リニューアルするために休業中という返信が戻ってきたのである。オープンは六月とあったのだ。

朝のシャンヌードルを食べ、その足で歩いてPanorama Hotelに行った。ヤンゴンに来て別のホテルに宿泊しても、地の利のあるPanorama Hotelのロビーでよく休憩をとったものだが、今や見知った顔のスタッフは一人としていなかった。かつてレセプションにいたチョッテルという女子スタッフと親しくなり、その後バンコクへ帰ってからしばらくメールのやり取りをしたものだが、彼女もとうの昔に辞めてしまっていた。目下、シングルでいくらかと尋ねてみると、七〇ドルとのこと。そう言ってすぐ六〇ドルにディスカウントしますと女子スタッフが慇懃に言った。さらに四月一日からは五五ドルになりますと腰が低い。恐らくわたしが想像したごとく、一二〇ドルでは損失を出したのであろう。相変わらずロビーには人影が薄かった。

続いて、Queen's Park Hotelに寄ってみると、こちらもスタッフ全員が入れ代っていて、もはやわたしを知る者は誰もいなかった。部屋は三五ドルとのことである。

最後に、Eastern Hotelまで足を延ばしてみた。なるほど一階の部分がまだ全く工事がなされていない状態だった。中にいた関係者と少し話しをすると、六月オープンにこぎ着けるために、急ピッチで工事をしているとのことである。

Sky Hotel

さて、Beautyland Hotel IIだが、テレビが無い部屋は二一ドルだと聞いて、翌日すぐ部屋を変えてもらった。わたしにとってテレビとは無用の長物以外のなに物でもなかったので、そうと知っていたら初めから泊まるつもりもなかったのに。ところが、今度はエアコンの故障で眠ることができない。いよいよ新しく部屋を探す必要に迫られ、あるミャンマー人の男に紹介されて、そのホテルのある中国人街まで出かけてみた。だが、彼の描いた地図をたよりに訪ね歩くも目指すホテルは見つからない。ホテルがあるという一九番通りを何度もくまなく歩き、人に尋ねてみたが分からない。途中、日本で働いたことがあるという男に巡り合い、足が棒になるほど一緒に歩いてくれたがだめである。最後の極めつけは交番だった。警察官がそのホテルは一八番通りにあると自信満々に教えてくれたので、一八番通りを歩いた時に見過ごしてしまったかと思い、勇んで彼と二人で戻った。そしてまたも端から端まで目を皿にして三回往復したが、とうとう見つからないで終わった。わたしはほぼ一日無駄足を踏んだ思いで宿に帰り、疲れ果てた体をベッドに放り投げた。そうだ、そうだった。人を当てにしてはならない、これがわたしの旅行路（たびこうろ）の鉄則ではなかったのか。

翌日、改めてわたしは中国人街に出かけてゆき、このエリアにあるほぼ一〇軒ばかりのホテルというホテルをくまなく訪ね、部屋という部屋を全て見せてもらって（これもわたしの旅の流儀のひとつ）、ようやく気に入ったホテルを探し出すことができた。その名を「Sky Hotel」という。これまで滞在した五軒のホテルはいずれもヤンゴンのダウンタウンの南東に位置していたのであるが、中国人街はそれとは反対の南西にあり、わたしのこれまでの行動範囲の埒外にあって、ついぞ足を踏み入れることのなかった地域である。わたしは摂氏三八度の炎天下、大気汚染の真っただ中、渋滞の大通りを三キロメートルにわたり荷物を運びながら歩いて引っ越しを敢行した。

さて、Sky Hotel。新築のホテルを思わせるように、室内は何もかもが新鮮で清潔さに溢れている。シングルなので広くはないが、大きなダブルベッドは右にも左にも自由に寝返りがうてててすこぶる寝心地がよく、シャワーも温水が溢れんばかりに出、トイレに

Sky Hotel

も余裕があった。ものを書くには十分の机と素早く沸騰する湯沸かしポットも置いてある。テレビもあるがこれは要らない。そして何より最速のインターネットがこの室内で使い放題なのだ。宿代は三三ドル。あと五ドル払えば窓のある部屋が手に入り、明るい室内で寛げるがそこは我慢のしどころである。わたしがエーヤワディー（イラワジ）デルタの町パテインへしばらく旅をして、再び舞い戻ってくると、月が変わって四月に入っていたので、同じ部屋が三一ドル（雨季料金）になっていた。

一週間後、ポイペト（カンボジア）で事故に遭遇し、重傷を負ったまま一〇日も経ってようやくバンコクで緊急手術、そして迎えに来た女房に介助されながら、松葉杖と車椅子を余儀なくされ、飛行機で日本に帰国することになるなんて夢にも思わずに、わたしは三日三晩旅の疲れを癒し、ヤンゴン川を渡る涼風に身を任せて畔を散歩したり、気に入った中華料理屋の「Sweet and Sour Prawn」を堪能したりして、最後のミャンマー滞在を楽しんで過ごしたのである。

あとがき

旅枕わびしきわれに添寝するひと夜の命ジャスミンの花

ジャスミンの花――一センチにも満たない小さな白い花を蕾のうちに摘み取って、それを糸に通しかわいいレイに編む。嗅覚の鋭敏な若い女性にしばしば頭痛を誘発させるほど、その芳香は強烈である。一晩中えもいわれぬ薫香を解き放ち、朝方にはもうすっかり生気を失って萎れ、茶色に枯れて短い命を閉じてしまう。

エーヤワディーデルタの町パテインにわたしは孤独な旅をした。夕風が川面を渡ってくる頃合いに、夜毎パテイン川の畔に夜市（ニャゼイダン）が立った。暑気払いをかねて三日三晩わたしは夜市をひやかしに通った。そうして宿への帰り道、畳半畳にも充たない場所で、黙々と一人ジャスミンのレイ作りに余念のない貧しいインド系の少女のもとに立ち寄っ

（文夫）

夜市のジャスミン売りの少女

て、ジャスミンのレイを一叢包んでもらったものだ。それを宿に持ち帰り、枕辺にそっと寝かせて一夜の旅宿の友としたのである。

ひとり旅、それがわたしの旅の流儀である。なんの肩書きも持たないひとりの人間として（因みにわたしは生涯名刺というものを作ったことがない）、現地の人とは対等に付き合うのを原則としている。それでどこまで他国で通用するか挑戦する。したがって、旅の計画はごく大雑把に立てるだけで、その余は現地へ入って決める。旅先で不都合が生じれば、ふたたび手前勝手に計画を変更する。

ガイドブックは参考程度に見るにはみるが、町や村に着いたらできる限り自分の足で歩いて、耳目に接し肌で感じて何事も自ら確かめる。それを基に自分で考える。現地で取材するとか調査するとかの意識はわたしには全くない。そうした手法でモノを書くのは、結局のところ啓蒙主義に通じる恐れがある。元来わたしは啓蒙主義とは肌が合わない。

『星の王子さま』はわたしの年来の愛読書の一冊だが、サン・テグジュペリはその中で「ものそのもの、ことそのことがたいせつ」なのだと語っている。わたしはそこへ「ものそのもの、ことそのこと、ひとそのひとがたいせつ」なのだと、もうひと言言葉を付け加えたいのである。古典を含め、オリジナルな書物の書き手には、なにより本物の人間の匂いを感じることができる。

かつて、「私は、「東南アジア」ということばを、当然のように平気でつかう人間を許せなく思う。」と書いたのは、碩学矢野暢さんであった。矢野さんの東南アジア学の著作は、セデスの『インドシナ文明史』と併せて、その昔この地域に出かけようとしていたわたしを大いに啓発してくれ、考えるヒントをたくさん提供してくれたものだ。そうした下地をつくって、人間を人間たらしめる脚を頼りに、わたしはミャンマーを、インドシナを歩きに行った。そこでわたしは矢野さんの言う「東南アジアは遠い世界のままである。そういう本質的な異質性を、政策的に作られた人為的な親和性のイメージが蔽い隠しているだけなのである」、その「本質的な異質性」を足を使って一つひとつ確かめていった果てに、この地域の思考と認識をよりいっそう深めることができたのである。

「生活のレベルでは庶民の暮らしを、知識のレベルでは孤高のインテルジェンスを」をモットーにわたしはずっと市井の片隅で生きてきた。

エマ・ラーキンというアメリカ国籍の女性が、ジョージ・オーエルの足跡を訪ね歩いて著した『ミャンマーという国への旅』の中で、「私は沈んでいきたいと思った。虐げられし者たちの中へ深く深く……。そして自分もそのひとりとなって、力ある者の対極に立ちたいと願うようになっていた」という『パリ・ロンドン放浪記』(一九三三年)の一節を紹介している。念のため岩波文庫の『パリ・ロンドン放浪記』に当たってみたが、どの箇所にもこの言葉を見出すことができなかった。とはいえ、オーエルのこの言葉の信憑性を疑うことはできない。わたしもまたオーエルの後塵を拝して、国内・国外を問わず、そのひとりとなって力ある者の対極に立ちたいと願ってきた。

今般のミャンマー国軍のクーデターに対し、勇敢にも闘って銃弾に斃れて逝ってしまった人びとに謹んで哀悼の意を捧げたい。そしてその後に続き、「Spring Revolution」をスローガンに高く掲げながら、わたしがかつて歩いて見知ったヤンゴンの街角で、バリケードを築いて困難なレジスタンスを続ける不屈な人びと、とりわけGeneration Zの若者たちに限りないエールを送りたい。かれらがいつの日か自分たちの未来を切り拓くことがかなうようになればと願いつつ……。

わたしがミャンマー行脚の旅を終え、久しぶりに訪れたポイペト（カンボジア）で予期せぬ事故に遭遇し、重傷を負って十日目、バンコクの病院で緊急手術、二週間のリハビリ後、松葉杖と車椅子でどうやら帰国がかなったのは、ひとえに妻悠美子の献身的な看病あってのことである。ここに改めて彼女に感謝の意を表明しておきたい。

原稿は手書きを常として、それをワードに打って保存する、これがわたしの文章道のスタイルだが、今回『ミャンマー行脚』の全原稿をパソコンで印刷してくれ、惜しみのない手を差しのべてくれたのは、書き仲間の小山芳美さんである。心よりお礼を述べると共に、ご好意を無にすることのないよう努力したいと思う。

最後に、批評社の佐藤英之さんには、快く出版を引き受けていただき、またわたしのわがままにも最大限耳を貸していただいたことに、さらに渋谷一樹さんには、編集作業に力を傾注していただいたことに、深甚なる謝意を尽くしたい所存です。ありがとうございました。

著者略歴

熊澤文夫（くまざわ・ふみお）

本名：丹羽文夫。1941年名古屋市生まれ。横浜市立大学でフランス文学を、京都大学で昆虫生態学を学ぶ。

永く生態学方法論の研究を続け、従来の「生態学とは生物の生活を研究する学問」という定義を、独自に「生態学とは関係の学としての生物学」とより包括的な、新しい定義付けを試みる。

1987年よりタイを中心にインドシナ半島を行脚し、居住して、特に異文化の意義について考え続けている。

著書：『今西錦司、その人と思想』（共著、ぺりかん社）
　　　『日本的自然観の方法』（農文協）
　　　『メーサイ夜話』（国書刊行会）

E-mail アドレス：kumathai@gmail.com

ミャンマー行脚

2021年12月25日　初版第1刷発行

著　者……熊澤文夫

装　幀……臼井新太郎

発行所……批評社

〒113-0033　東京都文京区本郷1-28-36　鳳明ビル201
電話……03-3813-6344／FAX……03-3813-8990
郵便振替……00180-2-84363
e-mail:book@hihyosya.co.jp／http://hihyosya.co.jp

印刷……モリモト印刷(株)
製本……鶴亀製本(株)

ISBN978-4-8265-0728-8 C0039